KB096578

여명쌤의
사주팔자
이야기
이부상 지음
BOOKK

여명쌤의 사주팔자 이야기

발 행 | 2023년 12월 19일

저 자 | 이부상

펴낸이 | 한건희

펴낸곳 | 주식회사 부크크

출판사등록 | 2014.07.15.(제2014-16호)

주 소 | 서울특별시 금천구 가산디지털1로 119 SK트윈타워 A동 305호

전 화 | 1670-8316

이메일 | info@bookk.co.kr

ISBN | 979-11-410-5992-7

www.bookk.co.kr

머리말

20대부터 유달리 운명학에 관심이 많았던 필자는 전국 대학생 도가단체에서 운영하는 곳에서 처음으로 사주 공부가 시작되었다. 사주 명리학에 입문하여 지금까지 역학이라는 굴레에서 벗어나지 못한 가운데 인간의 운명에 대한 호기심과 갈증, 고뇌 속에서 사주 8글자가 뇌리에서 떠나 본 적이 없었다.

사주 학인들마다 사주 입문과정이 자신들의 상황에 따라 다르겠지만 필자는 단순히 타고난 내 사주팔자를 스스로 감정해 보고 싶은 조급함이 강했다. 사주 입문하여 기초단계를 중요시하지 않는 점이 오히려 오랜 시간동안 사주공부 진전이 정체되어 있었다.

이 책에 담겨 있는 사주팔자 이야기는 블로그(여명미래역학)에 역학이야기에 포스팅한 내용으로 왕 초보 사주 학인 공부방법이나 창업을 희망하는 역학인을 위하여 사주팔자에 관한 기본 상식적인 내용을 필자의 주관적인 견해에 따라 설명하고 있다.

사주 명리학이라는 운명학에 관심있는 분이라면 우선 사주공부 입문 전에 사주팔자에 대한 인식 차원에서 현실적인 조언과 공부

방법에 대해서 조금이라도 도움을 줄 수 있는 내용이라 일독을 권하고 싶다.

또한 철학관을 방문하여 상담을 주로 받는 일반인에게도 사주 명리학에 대한 올바른 인식과 상담의 방향성에 따라 역술인과 무속인의 차이점을 바라보는 자세에 크게 도움이 될 수 있다.

현재 미디어 발달로 인하여 운세사업이 엔터테인먼트화가 되어 진화되고 있는 가운데 생활역학이라는 긍정적인 작용과 함께 부작용도 속출하고 있어 역학이라는 운명학이 악용이 되어 오히려 정신적으로나 물질적으로 피해를 줄 수 있다.

따라서 조금이나마 이 책을 통해서 운명학이라는 사주 명리학을 통하여 학(학문)과 술(점술)적인 차이점을 이해하고 막연히 사주팔자를 무조건 미신이라는 잘못 인식한 선입견을 바꾸는데 그 목적을 두고 있다.

여명 이부상

목 차

1장 사주 명리학을 왜 배우신 가요?........8

2장 사주공부 시작은 첫 출발이 중요하다........13

3장 운명 예측학은 신의 학문이 아니다........17

4장 사주 명리학은 알파와 오메가이다........20

5장 왕초보 사주학인 공부하는 방법........24

6장 사주 상담하는 목적과 자세........30

7장 연예인. 유명인사 등 사주풀이 도움이 되는가........33

8장 사주 명리학을 바라보는 자세........36

9장 결혼 시기는 정해져 있는가........40

10장 사주팔자를 통한 자녀 교육........43

11장 한국의 포춘 카운셀러 세계........46

12장 사주팔자에 빠져 있는 대한민국........51

13장 제 사주에 이혼수가 있나요?........57

14장 사주팔자로 몇 살까지 살 수 있나요?........61

15장 어린아이를 폭행하는 사주 적성심리........63

16장 작명을 통한 철학관 영업전략........65

17장 왜 아이 사주를 봐야 하는가 69
18장 20대 방황시절 사주공부 시작하다 72
19장 사주팔자 용신타령 이야기 76
20장 개인환경에 따라 사주해석이 달라져야 한다 81
21장 사주공부에 관심있는 분들에게 84
22장 사주팔자에 대한 올바른 인식 87
23장 관상. 수상(손금)에 관한 이야기 91
24장 미래 창업 역술인에게 드리는 조언 95
25장 역술인과 무속인의 차이점 98
26장 사주 십신론 어디까지 보아야 하는가 101
27장 일간별로 년운과 월운 분석이 합당한가 105
28장 사주 통변 달인 되기 위한 10가지 팁 108
29장 젊은 시절 철학관 탐방 이야기 110
30장 여명쌤의 사주공부 이야기 115
31장 비법 전수 점술공부에 대하여 118
32장 제도권으로 정착하기 위한 현대 심리사주학 122
33장 내 사주팔자에 자식복이 있습니까? 127
34장 궁합에 대한 올바른 인식 130

35장 올해 삼재운이라 이렇게 힘든가요? 134

36장 타고난 운명은 정해져 있지 않나요? 137

37장 적성을 알아야 진학.애정.직업을 알 수 있다 142

38장 21세기 운명 역술업의 향방 148

39장 부귀빈천 사주팔자가 정해져 있을까? 153

40장 3단계로 분류되는 역학 공부 158

41장 육십갑자를 바라보는 시각 162

42장 오행은 양은 양끼리 음은 음끼리 생한다 165

43장 내 팔자에 돈. 직장운이 없어요 168

44장 태어난 생시 선택 구별법 170

45장 사주와 오행으로 보는 풍수 개운법 172

46장 습관(행동)으로 보는 재물운 178

47장 출산 택일을 함부로 해서는 안된다 181

48장 중국 사주학과 한국 사주학 183

49장 사주 명리학은 절기력으로 보는 것이다 186

50장 점술 사주학이란 무엇인 가 190

1장 사주 명리학을 왜 배우신 가요?

과거 운명학에 관한 공부는 일반 대중보다 일부 소수에게만 해당하는 음지의 학문이었다. 특히 공부하는 성별은 여성보다는 남성이 대다수였다. 사주나 여러 운명학을 공부하는 대부분 학인들은 어떤 사연으로 인하여 관심을 두고 철학관을 찾아 개인 사사를 받는 경우나 서울에 상경하여 사주 학원을 찾아 공부하는 것이 대부분이었다.

그러나 88 올림픽 이후 인터넷이 급속도로 성장한 후 온라인 역학 시장이 급속히 발전하기 시작하였고 저(필자) 또한 20대 중반에 모 도가단체에서 처음으로 사주 입문을 하였다. 독학으로 역학 서적을 탐독했지만 이해력이 많이 떨어져 우연히 철학관을 찾아 개인지도를 받은 적도 있었다.

그 당시만 하더라도 사주 명리학 공부를 하신 대부분은 남성이었고 중. 장년층 이상이었다. 필자는 30대 후반에 지방에서 상경하여 온라인과 사주 학원에서 공부하며 모 사주카페에서 사주 상담과 또 다른 곳에서 인연이 되시는 몇 분을 모시고 사주 강의를 시작하였다. 강의를 하다 보면 각자의 공부 성향이 서로 다르다.

어떤 분은 사주 이론에 대한 근거에 관심을 두거나 또 어떤 분은 실제 상담에 필요한 공부에 관심을 두거나 다 학인마다 달라서 강사는 그만큼 폭넓게 공부를 많이 해야 하는데 초보 강사가 질문에 답을 하지 못하면 망신당할 수밖에 없는 것이다. 그리고 그 당시 사주카페에서 근무하다 보면 자칭 도사들이 많고 유명한 00문하 제자라고 듣다 보니 서울 장안에 유명하다는 선생들을 알게 되었다.

스마트폰이 보급되는 시점부터 어느 순간에 사주 학원이나 강사들이 우후죽순처럼 나타나기 시작했고 지금은 개인 사주학원보다는 사이버대학에서 명리학과가 활성화가 되어 입학하는 역학도들이 넘쳐나고 있다. 그 이유는 미디어 발달로 음지의 운명학이 밖으로 드러나고 있으며 정초에 철학관이 찾아 신수를 보는 과거와는 달리 자신이 직접 사주를 배워 생활사주학으로 자리를 잡아가고 있는 것이다.

그러나 사주를 공부하는 학인들 입장에서는 공부를 하다 보면 방향성에 혼란을 주고 있다. 왜냐하면 가르치는 선생마다 보는 관법이 서로 상반되고 공부 목적도 다를 수 있다는 것이다. 어떤 선생은 자신의 스승을 자랑하며 마지막으로 본인의 스승에게 찾아와 사주완성이 되었다는 말을 듣고 도대체 얼마나 대단한 것인가 해서 알아보면 소문난 잔치에 먹을 것이 없다는 말이 딱 맞는 말이라는 것을 느낄 수 있었다.

사주 비법이라고 빠른 시간에 터득하여 상담을 하면 문전성시를 이룰 수 있다면 몇 천 단위의 고액의 요구하는 곳, 사주를 인문학 정통 명리학자를 양성하는 곳으로 차별화하여 강의 시간이 무한하여 수년에서 십년 이상을 다니도록 유도하는 곳, 평생 제자 조건으로 일시불 고액을 원하는 곳, 이렇게 다양하며 지금은 온라인 시대를 맞이하여 새로운 형태의 역학 시장이 활성화되고 있다.

여러분은 사주 명리학을 왜 공부하십니까? 단순히 취미로 배워 본인이나 가족 사주를 보는 것이 목적인지, 퇴직 후 창업이 목적인지, 자기 본업에 사주를 응용하기 위해서인지, 아니면 사주를 통하여 인간 심리를 활용한 처세술이 목적인지 등등 각각의 이유가 있겠지만 처음 공부할 때 방향 설정을 확실히 염두에 두고 사주 공부에 들어가야 한다.

역학 공부는 자연수학일 수도 있고, 인문철학일 수도 있고, 점술학일 수도 있고, 심리학일 수도 있고, 체질의학일 수도 있고, 천문학일 수도 있고, 농학일 수도 있고, 군사학일 수도 있고, 등등 모든 분야와 연결할 수 있는 것이 역학의 한 분야인 것이다. 이 중에서 자기에게 인연이 되는 한 분야를 선택하여 연구하면 되는 것이다.

앞으로 크게는 역학을 통하여 각자의 전문 분야에 활용하여 발전시키는 시대가 올 것이다. 누구나 사주 명리학을 쉽게 배워 활용하여 대중화를 시키기 위해서는 사주를 규격화. 표준화, 과학화를 시켜야 하는데 이것은 기본사주 이론에 입각한 생활 사주학이고, 진로적성 심리사주인데 여기에 복잡한 이론이나 운세 파악을 적용해서는 안 된다.

이런 공부 방향은 누구나 일반인들도 학문적으로 쉽게 접근할 수 있어 제도권 학문으로도 자리를 잡을 수 있고 점술이나 운명학을 미신이라고 단정 짓는 사람들에게는 거부감이 없을 것이다. 그리고 사주. 성명학. 점술. 풍수. 관상. 수상. 기타 등등 여러 운명학을 종합 상담하는 전문적인 역술가로 가기 위해서는 많은 시간과 투자를 하여야 하고 일반인들이 공부하는 내용과는 차별화가 되어야 역술업으로서 인정을 받을 수 있고 직업적 안정이 될 수 있는 것인데 현실은 그렇지가 못하다.

사주를 가르치는 선생이나 배우는 학인들은 공부 방향 설정을 구분하는 데는 관심이 없고 오로지 자기가 가르치고 배우는 방식이 최고이며, 운세 파악만이 사주 첩경이라고 외치고 있거나 사주는 점술학이 아닌 인문학으로서 심리 파악하는 철학으로 가야 한다며 주장하고 있는데 크게 보면 서로 다 맞는 말인데 자신들과 취지가 다르다고 인정하지 않는 자세가 과연 역학의 본질을 이해하는지 궁금하다.
결론적으로 사주 공부를 하시거나 관심이 있으신 분들은 자기에게 맞는 공부 방향을 설정하시고, 특히 독보적이고 창의적인 이론에 빠져 허우적거리지 마시고, 자신이 배운 사주 이론을 가지고 실제 임상을 통하여 비교. 검증. 확인 작업을 해서 통계를 내어 스스로 판단하시길 바란다.

2장 사주공부 시작은 첫 출발이 중요하다

타고난 년월일시의 사주팔자 구성은 천간 10개와 지지 12개의 조합으로 60개의 간지로 구성된 오행으로 육십갑자 공부이며, 사주를 통하여 운명의 이치를 파악하는 사주 명리학은 육십갑자를 활용하여 오행, 십신(육신)의 생극제화. 형충합, 신살. 포태법(십이운성). 지장간 등을 활용하여 운명을 예측하는 술학이다.

따라서 60개의 간지로 구성된 육십갑자 분석이 대단히 중요하다. 사주입문 시 음양오행이라는 의미를 파악한 뒤 천간 지지 22개를 기본적으로 공부한다. 육십갑자는 순서대로(순행) 암기해야 한다. 머리 좋은 사람은 역행으로 암기하면 더욱 좋다. 암기가 되어 입에서 줄줄 나오면 천간 지지의 오행 상생 상극이 완전히 체득이 되어 감각적으로 육십갑자가 머릿속으로 떠오르게 된다.

사주팔자 작성하는 공부 전에 이 육십갑자가 암기가 되면 사주 구조 파악하는 감각이 빨라져 오행 생극제화 분석능력이 빨라지고 나중에는 사주팔자. 대운, 년운, 월운이 머릿속으로 그려진다. 옛날 맹인술사들은 육십갑자를 암기를 하여 만세력 없이 사주를 뽑고 머릿속으로 통변까지 했다고 한다. 이런 방법이 가장 빠른 시간 안에 공부하는 방법이라고 생각한다.

이 정도까지는 아니더라도 사주이론공부 전에 사주 뽑는 연습과 지장간, 신살. 형충합. 십이운성을 기입하여 노트에 최소 500~1000명 정도 명식을 작성해보고 사주 8글자와 지장간까지 한눈에 보이면 하루가 지나도 그 명조는 머릿속에서 잊히지 않는다. 이 공부가 완성이 되면 사주 60% 완성이라고 감히 장담한다.

눈으로만 하는 공부는 많은 시간이 필요하고 막상 사주 8글자를 분석하는데 잘 보이지 않는다, 처음에는 일간, 일지. 월지만 보이고 상당한 시간이 흘러야 나머지 5글자가 보인다. 이게 왜 중요하냐 면 실전상담에서는 사주 8글자와 대운.년운 4글자. 월운 2글자 총 14자가 내 머릿속에 천간지지로 빙빙 돌려가면 분석을 해야 하니 그만큼 육십갑자가 한눈에 들어와야 하는 것이다.

전국에서 사주 명리학을 가르치는 사주 강사분들 이런 식으로 사주 입문자들에게 지도하신지 궁금하다. 과거 저(필자) 또한 이런 스승 한분이라도 계셨다면 더 빠른 시간에 사주보는 안목이 달라졌을 것이다. 사주상담 통변자료는 무궁무진하게 널려 있는 현실이다. 이러한 사주이론을 배워서 이해하여도 막상 사주팔자에 적용하는 순발력은 사주 기초공부가 탄탄 하는가에 달려 있다.

저(필자)는 이런 사주 기초공부를 마치지 않는 자에게는 사주 강의를 하지 않고 다른 선생이나 책을 추천하지 않는다. 시간과 돈만 날릴 뿐이다. 사주를 쉽게 배워 복잡한 사주공부를 무시하고 폰 앱 만세력을 보면서 성향. 애정이나 떠들어 대는 상담 현실이 운명학 엔터테인화 되어가는 역술시장에서 트렌드 일 수도 있겠지만 빠르게 배운 사주공부가 시간이 갈수록 진전이 없다는 것을 인식해야 하고, 경험상으로 보면 총명하고 급한 학인들보다 답답하지만 인내심이 있는 학인들이 결과적으로 현업 역술계에서 살아남을 수 있다.

현실은 정보가 넘치는 세상이라 고객들 요구 만족도가 높아져 역술업으로 생계를 유지하기 위해서는 전문 차별화 시키는 상담실로 거듭나야 한다. 지금은 팬데믹 이후 비대면 상담 현실의 역술업 판도가 바뀌는 요동치는 시기이고, 미디어를 활용한 과장 홍보광고로 인한 운세상담이 절정을 이루고 있는 실정이다.

3장 운명 예측학은 신의 학문이 아니다

고래로부터 현재까지 미래에 대한 궁금증을 갖는 것은 동서고금을 막론하고 인지상정이기에 예언, 점성술, 명리, 토정비결 등등의 운명 예측학이 여전히 굳건한 생명력을 유지하고 있다. 오히려 예전 왕권사회에서는 백성들에게는 운명학을 금기시해 왔고, 기득권층들은 권력을 유지하기 위해서 내심 운명 예측학에 관심이 많았다. 일부 종교에서는 미신이라 하여 금기시하지만 많은 사람들의 관심에서 떠나지 않는다면 이미 미신의 차원을 넘어선 것이다.

인간이 만든 종교가 인격의 완성을 위한 수행을 근본으로 하지만 그래도 힘든 마음에 신에게 위안을 얻는 의지처가 종교이고 보면 운명 예측론이 미래를 궁금해하는 사람들의 마음에 위안을 줄 수 있다면 이미 종교와 같은 그 존재의 가치는 확보한 셈이다. 운명학을 미신이라고 떠드는 자 과연 운명학을 얼마나 연구하고 관심을 가져 보았는가 의구심이 든다.

그저 본인의 선입견을 가지고 운명학을 미신이라고 천대시하는 그릇된 망상이 바로 미신인 것이다. 운명학은 단지 길흉화복을 점치는 술학이라고 하기 전에 운명의 이치의 궁금증은 인간을 사랑하는 근본정신이라고 생각한다. 육신을 가진 인간들의 삶에서 가장 현실적인 문제를 파악하고 중요한 것은 신이 아니고 인간인 것이다.

서로 종교와 사상이 맞지 않다고 인간들끼리 서로 적대시하고 심지어 가족 간에도 인연을 끊고 사는 인간의 본성이 타락하고 심지어는 일부 인간보다 동물을 먼저 애호하는 마음은 인간 즉 내 자신을 미워하는 것이다. 인간과 인간의 사랑은 내 본성을 인식하는 것이다. 사랑. 자비. 보시 등 이런 마음은 내 자신의 사랑하는 마음에서 비롯되어 상대를 사랑하는 것이다. 내가 있으니 상대가 있듯이 사랑하는 마음은 나의 본성에서 나온 것이다.

우리 모두 인간인 내 자신을 사랑하는 본성을 지니자. 그렇다고 나를 사랑하는 것을 개인주의 이기심과는 다른 차원이다. 나를 아끼는 마음처럼 타인도 나처럼 아끼듯이 인간을 사랑하자. 육신을 가진 인간들이 얼마나 고귀한 존재인지 우리는 느끼지 못하고 살고 있다. 운명 예측학은 신을 위한 차원이 아니고, 인간을 사랑하는 마음에서 고래로부터 선인들로부터 발전 유지되어 왔던 것이다. 사주 명리학 즉 운명학이 인간이 신에게 종속되는 학문이 아니라는 것을 우리는 상기해 보아야 할 것이다.

4장 사주 명리학은 알파와 오메가이다

과거에 사주 명리학보다 육임, 기문둔갑. 자미두수. 구성학 등을 종합적으로 분석하여 강의를 하신 분에게 개인지도를 받은 적이 있었다. 역학공부가 최고봉에 올라가기 위한 나의 간절함과 욕심이 지나쳐 고액의 수강료를 지불하면서 나름 열공을 하였지만 3개월을 넘기지 못하고 포기하였다.

이 강사분은 만학을 하여 단기간에 역학책들을 이해하는 뛰어난 두뇌를 지니신 분으로 강의 위주로 인터넷상으로 자신을 홍보하고 있었다. 그러나 자신이 아는 것과 남에게 전달하는 교육적인 능력은 열악했다. 거기에 사주 명리학은 왕초보 수준이었다. 이게 가능한 일인가? 의구심이 들 정도였다.

역학 중에 어렵다던 육임이나 기문 등을 어렵지 않게 단기간에 터득했지만 사주 명리학은 책을 보고 공부했지만 전혀 맞지 않아 포기했다고 한다. 그 당시에 여명(필자)은 사주 명리학으로 부족한 부분을 여러 역학을 응용하는 상담기법에 관심이 많았다. 지금도 주변에 사주 명리학을 기본으로 육임, 기문. 자미두수. 육효 등을 참고하여 상담하신 분들이 많다.
그렇지만 평생 사주 명리학 하나만을 고집하면서 다양하게 적용하는 사주대가도 있을 것이다. 여러 학문을 배우러 다니다가 다시 사주 명리학으로 종착한다는 선배 역학인들을 충고를 들었던 것이 지금의 여명(저자)의 모습이다. 동양에서는 육십갑자를 통하여 운명을 예측하고 있는데 사주 명리학 사주팔자 즉, 8글자를 활용하여 변화무쌍한 운명을 예측하는 것이 한계가 있다고 하지만 다른 역학도 마찬가지이다.

불과 20년 전만 해도 철학관에서는 사주 명리학과 다른 점술학 하나를 선택을 하여 운명상담을 해왔다. 그러나 지금은 사주를 통한 점술기법이 다양하게 각자의 수준에 맞추어 활용되고 있다. 지금까지 10년 이상을 수십명의 선생이나 자료를 찾아다니면서 잡다한 역학공부를 종결한 시점도 5년이 훨씬 넘었다. 지난 수년에 거쳐 블로그에 사주 명리학 자료를 분석하고 정리하면서 다른 역학자료는 지인에게 주거나 폐기처분 해버렸다.

그리고 서양에서 넘어왔다던 타로카드점에 대해서 할 이야기가 많다. 타로점을 잘 모르는 역술인들은 단지 유희성으로 젊은이들의 호기심을 유발하여 가볍게 보는 점술로 착각을 많이 한다. 이런 부류의 역술인들은 역학의 근본원리조차도 이해 못하고 자기 것만 아는 선입견에 불과하다.

사주 명리학을 깊게 파다 보면 다른 점술학을 굳이 적용할 필요가 없고 오히려 사주 명리학 공부 깊이에 방해가 될 수 있다. 이 글과 인연 있는 독자분들도 타고난 선천적 사주팔자 공부와 문점시각 사주를 대입하여 운세파악공부를 깊게 해보시 길 바란다. 이 두 가지 측면이 서로 시너지 작용을 하여 엄청난 효과가 있다고 자부한다.

예를 들어 자신이 누군가(연인,친구,팬...)에 대해서 엄청난 관심이 있지만 생년띠만 안다면 바로 현재 이 시각 사주를 뽑아 지금까지 살아온 모습과 현재상황. 가까운 미래를 판단할 수 있다. 이런 통변은 지금까지 여러분이 배운 역학이론을 종합적으로 활용하는 기법인데 격국용신 이런 것을 따지지 않고 십신, 12운성.신살, 오행 물상 등을 다양하게 활용하는 것이다.

이런 식으로 공부하다 보면 타고난 사주팔자도 깊게 분석하는 시각으로 접근하여 큰 효과가 있는 것이다. 사주 명리학 공부에 지쳐 포기하고 다른 역학공부에 관심이 있는 학인들은 이 글을 공감 하시길을 바라며 사주 명리학 공부 방법에 대해서 고민하는 것이 우선이며, 다른 역학공부에 빠져 시간과 금전 투자에 낭비하지 마시고, 사주 명리학 기초 육십갑자 공부에 더 매진하시길 바란다.

5장 왕초보 사주학인 공부하는 방법

사주 명리학은 음양오행을 좀더 세분하여 천간 10자와 지지 12자를 조합한 60갑자를 통하여 각자의 타고난 생년월일시에 대입하여 한 개인의 선천적 운명을 종합적으로 분석하는 운명학이다. 따라서 사주 명리학은 22간지를 통하여 여러가지 기본이론을 대입하여 다양하게 추론하는 운명을 예측한다. 예전에는 사주공부를 하기 위해서는 학원을 찾아 수강하거나 철학관을 직접 찾아가 개인 사사를 받는 경우가 많았지만 지금 인터넷 시대에 살고 있는 우리는 배울 수 있는 공간이나 정보가 넘쳐 나고 있다.

사주공부 또한 인터넷 검색 속도처럼 빠른 속성공부를 원하고 있어 이 조급함이 사주공부 하는데 더 어려움을 주고 있다. 사주 책 1권도 제대로 소화하지 못하고 그저 인터넷에 올려진 수많은 사주 자료를 보고 검색을 하면서 눈으로 공부하고 이해하려고만 한다. 그리고 빠른 시간안에 사주풀이를 하여 자신이나 가족 사주를 풀어보고자 하는 욕심이 앞서다 보니 스스로 지쳐버려 결국은 포기를 한 경우가 대부분이다.

스스로는 사주 공부가 어떤 것인가 궁금하여 취미로 공부한다고 하지만 궁극적인 목적은 단순히 사주이론이 아닌 실제 사주 해석을 해보고 싶은 마음이 간절한 것이다. 따라서 취미반, 실전반 따로 구분할 필요가 없다. 대부분 중도 포기한 학인은 취미반에 그치는 것이고 나머지 소수 학인은 나중에 창업(겸업)할 수 있는 실전반이 되는 것이다. 사주공부 하는 목적은 각자의 상황에 따라 다를 수 있겠지만 대부분은 사주풀이를 얼마만큼 통변 할 수 있는가에 있다.

간혹 음양오행이나 운명학 개론 적인 차원에서 접근하는 역학인들도 있는데 이런 사람이 00명리학자. 00사주대가라고 버젓이 매스컴에 나타나 전국 순회사주 공연을 하는 연예인 같은 사주선생들이 있는데 고액을 주고 상담신청을 해 보면 다 두리뭉실한 상담이라는 것을 알 수 있다. 사주공부는 집을 짓는 건축이나 다름이 없다. 그만큼 기초공사가 중요하다.

사주입문 시 사주 명리학을 바라보는 자세와 공부법은 이외로 단순하고 간단하지만 이것을 건너뛰어 속성으로 공부를 하다 보면 사주 명조를 보고 다양하게 추론하는 사고력과 응용력이 떨어져 사고의 부재함으로 자신의 양심에 한계에 도달하여 중간에 포기하거나 사이비가 되는 경우가 대부분이다.

요즘 유튜브를 보면 사주명리학 열풍으로 왕초보 사주강의 위주로 젊고 훌륭한 강사분들이 동영상 강의를 너무 스마트하게 편집하여 쉽게 사주공부를 할 수 있도록 무료로 제공하니 음지의 학문인 사주공부가 양지의 학문으로 전환되고 있다는 것을 피부로 느끼고 있다. 여러분이 왕초보 사주 이론공부를 편안하게 쉽게 공부하면서 단순히 본인이나 가족 사주 명식을 보고 오행이나 십신의 유무에 따라 쉽게 감정 판단하면 안된다. 선입견이 독이 될 수 있다.

왕초보 사주공부의 핵심은 자신의 간명지 작성을 숙달하기 위해서 배우는 기초작업이다. 이 기초이론도 나중에는 변화가 많기 때문에 기초이론은 암기에 초점을 두어야 한다. 왕초보가 앱 만세력으로 쉽게 사주 명식에 의존하게 되면 또한 큰 독이 된다는 것을 알아야 한다. 여명미래역학(블로그)에서 사주입문자용 왕초보 사주명리학 20강 강의교재를 만들었는데 왕초보 사주공부의 핵심은 사주 명식을 작성하여 아래 간명지처럼 노트에 적어

반복연습해야 한다.

이 연습을 하지 않으시면 사주팔자 중에 월지, 일주 3 글자만 보이게 되고 나머지 5글자를 보는 감각이 떨어진다. 이것은 눈으로만 사주공부를 하게 되고 육십갑자를 전체적으로 보는 감각이 떨어지기 때문이다. 왕초보 사주공부는 간명지 연습노트를 만들어 만세력을 보고 사주와 대운. 세운. 월운을 작성하고 십신. 지장간. 십이운성. 십이신살을 기입하고 천간지지 합충. 형,파. 삼합, 방합. 신살 등을 파악한다. 그리고 음양과 오행. 십신의 태과, 불급을 참고한다. 사주 명식 작성연습이 완전히 숙달할 때까지 반복해야 한다.

이 과정을 거치지 않고 사주해석을 먼저 해서는 절대 안된다. 왕초보 사주공부는 기본 이론을 암기하여 사주구조 파악하는 데만 초점을 두어야 한다. 다시 말해서 사주입문을 하고 있는 왕초보 학인들은 직접 만세력을 보고 사주를 뽑고 사주 기본이론이 바로 파악되고 오행 생극 강약이나 십신 구조의 사주팔자 8글자가 한눈에 파악되어야 한다. 그런데 이런 기본적으로 반복훈련을 하지 않고 바로 앱 만세력을 통해 운세 파악이나 사주 해석에만 몰두하게 된다.

왕초보 사주공부는 처음에는 손으로 써가면서 귀와 입으로 단순무식하게 공부해야 한다. 그리고 육십갑자 오행이 한눈에 들어오는 감각이 생기면 그때는 사주공부 속도가 빨라진다. 이러한 기초 공부는 본인 스스로 터득해야 하는 것이지 어떤 선생이 일일이 이런 부분까지 지도해주겠는가? 예를 들어 아래와 같은 명식이 있다고 하자.

丙 壬 戊 己
午 辰 辰 亥
이 명식을 보고 壬水일간 입장에서 보면 생을 해주는 인성 金이 없고 극을 하는 정.편재 火와 극을 받는 정.편관 土 4개가 있고 같은 동기인 비견 水 1개가 1초사이에 한눈에 보여야 한다. 그리고 육십갑자가 4개로 이루어진 기해. 무진. 임진. 병오를 보고 상생상극의 구조도 보고 갑목~계수까지 지지를 보고 힘의 강약을 파악할 수 있어야 한다.

이 연습이 사주완성에 70~80% 정도 차지한다. 한마디로 요리사가 달인이 되기 위해서 눈을 감고 칼질을 정확하는 하는 연습을 하듯이 이 연습이 제일 중요한데 이것을 눈으로 쉽게 공부하고 사주이론 공부를 앞서 공부하면 결국 90%이상 중도 포기를 하게 되고 아니면 사주공부시간이 오래 걸린다.

과거 철학관에서 개인지도를 할 때는 육십갑자를 외우지 못하면 진도를 나가지 못했다고 한다. 공부는 이렇게 한 단계 한 단계 통과하면서 해야 하는데 인터넷 시대에 살고 있는 사람들은 더 조급함으로 변하여 이런 답답하고 단순한 공부는 피곤해 한다. 하지만 지금부터 라도 왕초보 학인들은 노트에 육십갑자를 써가면서 소리 내어 암기 하시 길 바란다. 오행의 기운이 자기 몸과 정신에 체득되야 비로소 사주공부가 시작되는 것이다.

6장 사주 상담하는 목적과 자세

사주를 감정하는 목적은 주로 세 가지로 분류할 수 있다. 첫 째는 인간적인 문제로 대인관계, 부모, 부부, 자식 등을 살피는 것이다. 두 번째는 재물 적인 문제로 사업, 직장, 개업, 부도, 사기, 실직, 보증, 문서 등이고 세 번째는 건강 적인 문제로 사고, 관재, 소송, 수술 등을 상담하는 것이다.

만약 인간적인 문제에서 한 가지만 예를 든다면 부부 문제로 설명해 보자. 부부사이의 문제도 나누면 나눌수록 그 범위가 광범위 해진다. 부부간의 애정, 성격, 부모문제, 자식문제, 궁합과 관계된 문제, 배우자 외도, 금전적인 문제 등 나누면 나눌수록 그 범위는 넓어지고 방대해 진다.

자식에 대한 이야기만 해도 건강, 공부, 진로, 유학갈등, 반항, 가출 등 수 없이 많다. 사업에 대한 문제도 역시 마찬가지다. 금전문제, 종업원문제, 집문서, 서류 등 여러 가지로 나누어진다. 사람들이 가장 관심을 나타내는 것을 나이별로 구분을 해보면 다음과 같다.

십 대: 공부, 이성, 진로, 이상(理想) 등이 많다.

이십 대: 학업, 유학, 애정, 금전, 직장 등이 많다.

삼십 대: 결혼,재물,사업, 집문서, 부부관계, 자식

사십 대: 사업, 자식, 부부관계, 배우자 갈등, 직장 등

오십 대: 재물, 자식, 남편, 건강, 배우자 사업, 배우자 건강

육,칠십 대이상: 건강, 부부, 돈, 자식문제 등이다.

나이별로 상담고객의 주요 관심사를 구분해보면 굳이 고객 사주를 몰라도 연령층에 따라 몇가지로 구분할 수 있으며 좀 더 구체적으로 구별할 수 있다. 심지어는 철학관이나 사주 타로샵에 가면 상담 메뉴표를 보면 운세분야를 좀 더 구분하여 골라서 상담요청을 하기도 한다. 따라서 무엇 때문에 왔는지를 맞추려는 욕심을 부릴 필요도 없는데 족집게 도사 버전에 현혹되어 손님이 물어보지 않고도 적중 시켜 다른 역술인보다 용하다는 소리를 듣고자 호들갑을 떠는 역술인들이 종종 있다.

진정한 역술가는 손님이 어떠한 질문을 하더라도 손님 수준에 맞추어 상담할 수 있는 능력을 가져야지 물어보지 않아도 미리 맞추어 보려는 심리는 사주 명리학을 한 단계 더 퇴보 시키는 상담기법이다. 이 상담기법은 학문으로서는 한계가 있는 것이다. 진정한 역학인은 사주 한개의 명조를 가지고도 하루 종일 통변 할 수 있는 다양한 사주분석 기본능력이 탄탄해야 한다.

7장 연예인. 유명인사 등 사주풀이 도움이 되는가

블로그나 유튜브를 보다 보면 연예인이나 정치인. 예체능 스타 등의 사주팔자를 가지고 다양하게 해석하여 자신을 홍보하는 역학인들을 자주 보곤 한다. 그러나 우리가 알고 있는 공인들의 생년월일시가 정확 하지가 않다. 여러 매체 나무위키 등에 알려진 생일과는 다르다. 그러나 80년생 이후 출생자는 생년월일은 맞는 경우가 많으나 시가 다른 경우가 많다. 그 이유는 간명한 자가 임의로 설정하여 해석한 것이다.

유명인사 등 알려진 정보 결과를 통하여 자기방식의 이론을 대입하여 짜맞추는 해석을 하여 정보를 모르는 일반인의 사주간명보다 더 쉽게 분석할 수 있다. 직접 상담신청하여 상담을 해보면 연예인 사주풀이 하는 것처럼 디테일 하게 해석하지 못한다. 또한 잘못하면 사생활 침해와 명예훼손죄로 법적문제 발생할 소지가 있다.

음력 양력기준 생일을 구분하지 않고 자기 방식으로 바꾸어 해석하기 때문에 일반인들은 이러한 해석방법에 대해서는 알지 못한다. 이런 공인들의 사주팔자 풀이를 함부로 해서는 안되는 이유는 정치인 등 유명인사 사주팔자가 정해진 팔자로 인식하여 이를 악용할 수 있는 소지가 있다. (예전 독재정권에서는 유명 역술인이 말을 함부로 하여 개망신을 당하거나 잡혀 들어가 반 병신이 되도록 고문을 당했다고 한다) 지금은 법적 소송을 당할 수 있다.

앞으로 유명인사나 연예인. 일반인 등 신상을 공개하는 사주간명은 법적으로 제도화 시켜야 한다. 운세 사업이 더욱 활성화가 되어 심각할 부작용이 속출할 우려가 있다. 현재 사이비 도사들이 유튜브에 버젓이 나와 활개를 치는 것 보면 유튜브라는 공간이 이들에게는 행복한 보금자리인 것이다. 사주공부에 관심이 있는 학인들은 연예인 팔자에 관심을 두지 말고 본인 스스로 공부를 하여 삶에 대한 폭 넓은 시각을 가져야지 언제 좋고 나쁘고 하는 운세파악만 하는 어리석음에서 벗어나자.

또한 학부모들은 어린 자식들을 위한 진로적성에 관한 팔자공부에 더 관심을 가져야지 연예인 팔자풀이 하듯이 평생 공부해도 끝도 없는 역학공부에 매달리거나 어설프게 배워 내 자식 가족 사주 마스터하겠다는 과욕에서 벗어나야 한다.

8장 사주 명리학을 바라보는 자세

역학인들이 하나의 사주 명조를 가지고 과거 살아온 상황을 역리적으로 분석하거나 또한 미래운명을 예측하는데 각자의 사주 분석 방법이 다양하다. 크게 보면 명조 격을 판단하는 운세와 육친 관계 분석이 있고 거기에 성향, 진로적성, 직업. 건강 등을 세부적으로 판단할 수 있다. 그러나 오로지 사주 격국 성패를 따져 길흉 평등 운세판단이 전부인 양 평생을 매달리는 역학인들이 많다.

중국 고전 바이블이라고 하는 적천수, 자평진전, 궁통보감이라는 대표적인 책이 있는데 이 책들은 전부 길흉 운세판단에만 치중되어 있고 다른 통변판단은 전무하다. 부귀빈천을 논하여 정해진 길흉 분석방법은 옛 왕조시대나 과거 남존여비사상의 분위기 시절에 통하는 방법이지 현재 상황에서는 맞지 않는다. 그렇다고 사주 명리학을 단순히 십신의 특성을 가지고 사주 심리학 측면으로만 치우쳐서도 안된다.

타고난 숙명적인 큰 틀 안에서 운명적인 여러 변수 작용이 있다. 숙명적인 큰 틀은 우리 인간의 능력으로는 알 수 없지만 자신들이 처해진 상황에 따라 얼마든지 각자의 삶을 올바르게 가도록 예측할 수 있고 사주 명리학의 목적은 내가 남보다 더 잘 살 수 있는 것을 얻는 것이 아니라 서로 각자의 위치와 환경에서 다 함께 잘 살아 갈 수 있는 현실을 만들 수 있는 것이다.

과거 사주 명리학은 왕조 중심의 제왕학으로 상하 수직적 개념으로 인간들을 통치하기 위한 수단으로 잘못 사용해 왔지만 본래의 사주 명리학은 수평적 개념으로 누구나 평등하게 고귀한 삶을 누리는 것이다. 그러나 과거 관록중심사회에서 현재는 금전 만능시대에 부가 귀를 만드는 시대에 살고 있다. 한 나라의 선진 후진수준에 따라 빈부격차가 줄어들고 비록 타고난 팔자에 재관이 약하여도 자신이 속한 나라가 복지혜택을 받고 있다면 그만큼 궁핍함을 면할 수 있고 빈부격차가 심한 후진 국가에 태어나 환경이라면 그만큼 삶의 고충이 클 것이다.

타고난 개인의 사주팔자는 시대적 환경, 국가적 환경, 개인적 환경(가족,직업.지역)에 따라 사주 분석 방법이 달라져야 하는 것이다. 예를 들어 아무리 억만장자의 팔자로 타고 났어도 이 사람이 처해진 환경에 따라 천차만별이라는 것이다. 또한 거지 팔자로 태어났어도 복지혜택이 많은 국가에서 태어났다면 절대로 굶어 죽지는 않을 것이다.

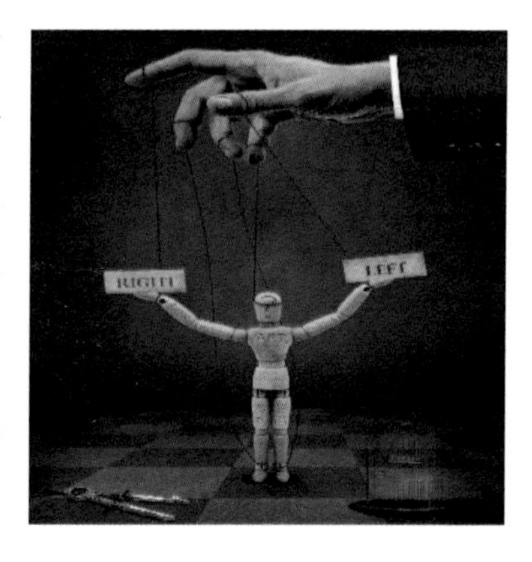

앞으로 우리는 사주팔자를 분석할 때 재관위주 즉. 돈과 명예를 쫓는 운명을 위주로 하는 분석보다는 타고난 자신의 적성을 살려 올바른 직업 선택과 사회생활과 인간관계속에서 형성된 조직관리를 자신에게 맞는 효율적인 방법을 찾아 행복한 삶을 추구하는 것이 진정한 사주 명리학의 목적인 것이다.

또한 우리 역학인들이 금기시해야 할 것은 사주팔자를 통하여 정치적 판단을 해서는 안된다. 현재 우리 정치판은 좌우파 이념으로 양분화 되어 있는 것처럼 무속이나 역학. 종교도 좌우로 양분화가 되어 정치에 참여하고 있다. 역학인이나 종교인의 참 모습은 중도를 지켜야 한다. 옮고 그름을 따져 상쟁의 역사를 통하여 정치는 발전을 하지만 우리 역학인들은 좌우의 이념들을 가진 자들을 모두 다 포용해야 한다.

이념보다 앞선 것은 인간애이며 홍익인간 정신이며 조물주의 뜻이다. 정치판에 뛰어들어 함부로 국운을 논하거나 점을 치거나 운명을 논하지 말아야 한다. 뉴미디어 시대에 누구나 자기 홍보를 위해 운명을 논하는 것은 자유롭지만 이런 분위기는 앞으로 잘못하면 무분별한 혹세무민한 사이비들로 가득 차 사회가 더욱 혼탁해질 수 있다.

9장 결혼 시기는 정해져 있는가

결혼 시기를 예측하는데 숙명적으로 정해진 결혼 시기가 있는 것처럼 착각해서는 안된다. 각각의 서로 다른 사주 명식에 따라 다양하게 결혼 시기를 예측해 보는 것이다. 백발백중 적중률을 자랑하고 떠벌리는 통변은 명리학적인 차원이 아니라 점술 적인 개념이다. 기혼자의 과거 결혼 시기 적중률이 높아도 미혼자의 미래 결혼 시기 적중률은 떨어질 수 있다.

사주 분석을 할 때는 오행 글자에만 얽매여 매달려서는 안된다. 요즘 젊은 세대들은 독신 미혼자들이 많기 때문에 항상 사주분석은 시대적 환경 상황에 따라 달라진다는 것을 인식해야 한다. 우선 결혼 시기를 일반적으로 볼 때 사길신인 식신, 정재. 정관. 정인운에 결혼할 확률이 높다고 한다.

그러나 지금 실전 상담에서는 이런 운에 결혼하는 것은 현저히 떨어진다. 또한 사주에 필요한 희.용신운에 결혼 시기를 선택하는 것도 보는 관점이 서로 다르다. 그리고 사주원국을 보고 그 다음 대.세운. 월운을 참고하는데 먼저 일간합을 하거나 일지 도화합, 해당 육친성과 합을 할 때 결혼을 한다. 그러나 합을 하더라도 결혼시기가 아닌 연애운으로 끝나는 경우가 많다.

결혼 시기가 어떤 공식이 있어 간단한 비법이 있는 것이 아니고 제각각의 사주 구조 특성을 보고 다양하게 유추하는 것이다. 예를 들어 남자 사주에 재성이 혼잡이 되면 운에서 재성 1개를 잡아줄 때 결혼운이 오듯이 여자 사주에 관살혼잡이 되어도 마찬가지다. 비겁태왕사주는 설기하는 식상운이나 제극하는 관살운이 결혼운이다.

격국으로 보면 식신격은 재운, 재격은 관운, 관격은 인운, 인격은 관운에 결혼운이라는 등 다양한 이론이 있다. 일간 억부로는 신약하면 일간 록이 되는 시기. 신강하면 재관운에 결혼 시기를 잡을 수 있다. 신살로 보면 도화 홍염살 운이나 합운이다.

여기에 결혼 시기 뿐만 아니라 이혼 시기나 외도 시기도 유추해 볼 수 있다. 결혼이나 이혼은 혼자 하는 것이 아니라 상대 배우자가 있어야 하니 상대방 인연에 따라 변수작용이 있다. 동일한 사주팔자도 상대 인연에 따라 또 다른 삶을 살아가는 경우도 많다.

물론 큰 틀안에서는 운명의 결과는 비슷할 수 있다. 사주팔자가 노력 과정도 필요 없는 운명적으로 정해져 있다는 논리 전제라면 우리가 사주팔자 공부를 학문적으로 연구할 영역이 아니라고 생각한다. 누구나 평등 속에 행복한 삶을 추구하기 위한 팔자공부가 오히려 세상을 혼탁하게 한다. 현재 사주학이 음지에서 양지로 나오고 있다고 하지만 종교적 선입견에 빠진 자들이 사주 명리학을 샷댄 기운의 미신으로만 취급하는 경우가 많다.

10장 사주팔자를 통한 자녀 교육

자녀의 사주팔자를 통하여 타고난 성향과 적성을 파악하는데 조기교육이 필요하다. 진로적성사주분석은 어린 자식의 사주 길흉을 보는 것이 아니라 소중한 내 자식의 성향과 적성을 참고하여 조기 진로설정을 하는데 목적이 있다. 경력중심의 사회로 변화되는 시점에서 자녀의 소질을 조기에 발견하여 부모가 직접 자녀교육이 필요하다.

공교육이 무너진 환경에서 언제까지 비싼 사교육에 매달려 방관할 것인가? 결혼과 출산율이 저조한 이 시대에 어린 자녀들은 우리들의 보배이고 자산이다. 소중한 내 자녀가 원하는 대학만 합격하면 그만이라는 안일한 사고방식에는 이제는 벗어나야 자녀들도 의식이 바뀐다. 앞으로 인구 노령화와 출산율 저조가 보수적인 교육제도가 무너지고 파격적인 교육개편이 도래할 것이다. 앞으로 진로적성사주분석은 귀하의 자녀교육의 역할에 큰 도움을 줄 것이라고 믿어 의심치 않는다.

[시기별 5단계 진로적성 사주분석]

1. 유치원생: 재능 조기발견
   => 적절한 조기교육
2. 초. 중생: 올바른 진로탐색 및 성격에 맞는 학습법
   => 성적향상
3. 고교생: 대학전공 및 학과선택
   => 진학지도
4. 취업. 창업운: 자신에게 맞는 직업(직무)선택
   => 능력의 극대화
5. 전직. 퇴직예정자: 제2의 직업
   => 안정된 노후생활

[사주팔자를 통하여 자녀 학습지도]

● 유치원, 초등학교

타고난 생년월일시를 바탕으로 자녀의 성향과 적성을 파악하여 개별적 재능을 조기 발견하여 조기교육 하는데 도움이 된다.

● 중학교

자신의 소질과 적성에 맞는 미래를 설계할 수 있는 시기이다. 특

목고, 특성화고. 인문고 등 고교를 선택하여 진학과 직장을 선택하는데 중학교 시기는 진로적성분석이 매우 중요하다.

● **고등학교**

진학과 전공선택의 시기로 성적만으로 대학진학도 필요하지만 자신에게 적합한 전공선택의 대학진학은 졸업이후 사회진출 가능한 직업에서 출발하는데 더 중요하다.

11장 한국의 포춘 카운셀러 세계

'포춘텔러' 의미는 미래의 상황을 점을 치는 사람이고, 흔히 '점집'이라고 말하는 무속인을 일컫는 것이고, '포춘 카운셀러'는 사주명리학을 통하여 타고난 운명의 길흉을 조언해주는 역학(역술)인을 말한다. 여기에 서양에서 들어온 새로운 타로점이 자리잡아 젊은 층들에게는 큰 호응을 일으키게 되었다.

원래 역술가가 되고자 할 때 사주 명리와 점술(육효,자미,육임,기문,구성)학을 혼합하여 상담을 주로 하였는데 현재는 점술부분에서 타로점이 자리잡아 철학관이 사라져 가고 있는 추세이고, 도심 번화가에 사주타로샵들이 몰려 있다. 타로가 국내도입이 된 시기도 30년 전후가 된 것 같다.

사주 명리학 공부에 관심이 없는 보통 일반인들은 철학관에 가도 '점'보러 간다고 무의식으로 표현한다. 아마도 우리 한민족의 잠재된 뿌리 깊은 기복신앙과 밀접한 관계가 있다. 예전에는 집안에 신 끼가 있거나 알 수 없는 질병에 시달리고 집안에 평지풍파를 겪은 후 어쩔 수 없이 내림굿을 하여 무속인의 길을 선택했다.

신 내림 굿을 하여 무속인이 되어도 자신의 조상신의 역량에 따라 전공이 다르다. 조상 영가 천도 굿을 잘하거나 아니면 점사를 잘 보는 것인데 여기에서도 또 분류하면 드문 일지만 무속인이 되어도 사주 명리학이나 다른 점술학 오행공부를 하지만 대부분 신 끼가 떨어진 무속인들이 배우는 경우가 대부분이다.

미디어 발달로 사이버대 등 교육기관이 활성화되어 국내에 사주 명리학을 관심을 가진 일반인들이 많아졌다. 배우는 명리 수강생들은 넘쳐 나지만 간판을 걸고 창업을 하는 역술인들은 부족하게 보인다. 오히려 강사들이 넘쳐나고 온라인이나 전화상담사들을 고용하는 운세업체들이 대세를 이루고 대형화가 되어가고 있는 추세이다.

일반인들이 알고 있는 사주 명리학 이외에도 자미두수(동양점성학), 육임, 육효, 기문둔갑, 구성학, 주역, 서양 점성학, 타로점,

관상, 수상, 풍수지리 등 각자의 인연에 따라 전공이 다 다르다. 타로가 국내에 도입되어 사주 명리(점성학)와 타로를 겸비한 사주타로샵들이 요즘 철학관을 대체하고 있는 분위기이다.

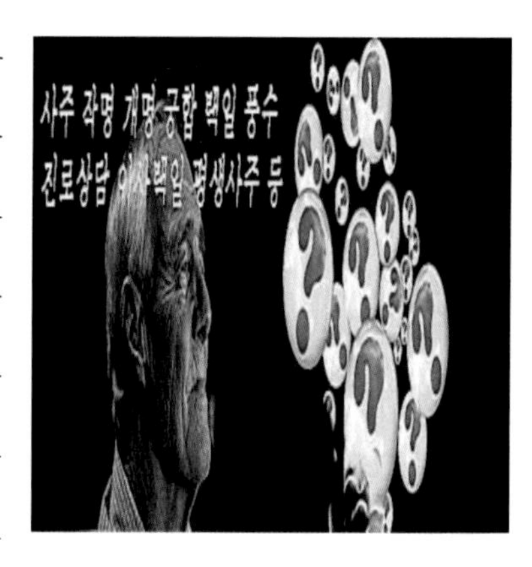

주로 광고홍보를 많이 한 사주타로샵은 여러 상담사를 고용하여 주로 젊은 층이 주 고객들이고, 도심지 번화가에 포진되어 있다. 가게세가 비싸다 보니 운영하는 업주 입장에서는 상담사들의 하루 매출여하에 따라 분위기가 달라지는 곳이니 성격 예민한 예비상담사들은 참고하기 바란다. 앞으로 부동산 침체의 늪으로 경기가 더 안 좋아지면 이런 운세상담 하는 곳들이 잘되는 것이 아니라 다른 업종과도 마찬가지로 고달 퍼진다.

지난 코로나 시국에 개인 철학관 운영은 철퇴를 맞았고, 온라인을 통한 운세업체들이 호황을 이루었다고 한다. 이제는 디지털 방식의 역술업이 활성화가 되어 가고 있고, 심지어는 무속인이나 종교인들도 대거 유튜브 개인방송을 하여 홍보를 하고 있는 추세이다. 디지털을 활용한 온라인 신세대 명리강사들도 상담고객보다 다년간 명리교육을 유도하는 수강생에 더 초점을 둘 가능성이 높아지고, 명리에 관한 자료는 검색만 해도 넘쳐나고 이것을 잘 편집하여 강의를 잘할 수 있지만 상담은 다년간 실전경험 없이는 약하다.

몇 년 배우고 석,박사 명함을 가진 사람도 실전경험이나 상담 방법이 부족하면 실전에서는 사주 명식을 보고 횡설수설하게 된다. 그리고 한때는 타로 붐이 있었지만 지금은 한풀 꺾이고 유튜브에서 타로 무료 운세점이 대세인데 설명을 들어보면 타로가 화려하게 엔터테인먼트화가 된 것 같다. 또한 그림 타로를 차별화 시켜 카드에 육십갑자를 넣어 오주괘처럼 분석하는 것으로 사주 명리를 공부하지 않는 사람들은 볼 수 없는 사주카드점인데 지금 시중에 비슷하게 비싼 동양 사주타로를 제작하여 판매 교육한 현명한 선생들이 좀 있는 것 같다.

누구나 타로그림만 보고 직감적으로 느끼고 설명할 수 있는 타로카드 종류가 넘치고 보드게임 하듯이 즐기는 타로 하는 일반인들이 넘치니 오히려 기존 타로 전문 상담사들에게 결국은 피해를 주게 되니 타로 상담 차별화 연구가 시급하다. 결론적으로 소설 네

트워크 발달로 인하여 운세 마케팅이 진화가 되어 사주나 타로를 배우거나 상담을 원하는 방식이 코로나 이후로 대면상담보다는 비대면 상담 분위기로 길들어지고 있다는 것이다.
주변에는 철학관 간판이 거의 없어진 것 같지만 네이버 지도검색으로 확인해보면 아직까지는 엄청난 점집이나 철학관, 사주타로 샵들이 많다. 대한민국에는 이렇게 운세업종에 종사하는 사람들이 많을까? 불교가 발달하고 신도의 나라인 가까운 일본에는 특별한 곳 일부 제외하고 거의 구경조차 할 수 없다. 그러나 한국은 젊음이 넘치는 곳은 어김없이 사주타로 샵들이 자리를 잡고 있다.

운세사업이 젊은 커플이나 일행들의 데이트 코스로 형성되고 있다. 자본력이 부족한 아날로그 영세 철학관은 실력과 자신의 운세로만 이 넘치는 경쟁속에서 살아남을 수 있을까? 오히려 정년퇴직 전까지 명리공부와 창업을 준비하여 퇴직 후 제 2의 직업 역술인으로 전환하는 것이 정석인 것 같다.

12장 사주팔자에 빠져 있는 대한민국

대한민국 역학교육 변천사를 분류해 보면

1. 철학관을 찾아 개인 사사

2. 개인 역술인이 학원을 설립하여 강의

3, 대학 평생교육원에서 교양강좌로 오프라인 강의

4, 인터넷 도입으로 역학 블로그 및 온라인 강의

5, 사이버 대학(원) 사주 명리학과 개설로 역학인 양성

6. 유튜브 개인 역학방송 상담 교육

예전에는 여성들은 사주공부를 거의 하지 않고 인생 풍파를 겉친 중장년층 남성들이 대부분 신문광고를 보고 개인 사주학원을 찾아 공부하는 시절이 불과 20년이 넘지 않았다. 그러나 소셜 미디어 발달로 인하여 사주 공부하는 사람들이 늘어났으며 심지어는 대학에서나 온라인 교육기관이 우후죽순처럼 생겨나 사주 명리학을 취미로 배우려는 일반인들이 많아졌다.

한편으로는 역학 대중화 측면에서 길한 작용도 하지만 또 다른 측면에서는 창업이 목적인 역술인들 입장에서는 예전 역술인들보다는 더 힘든 상황이다. 기존의 동네 철학관 간판이 거의 내리고

지금은 새로운 역술업 형태로 광고홍보를 미디어를 활용하여 상담 및 교육을 하고 있다. 누구나 운명에 관심이 있는 사람이라면 유튜브를 통하여 사주 타로를 쉽게 접하고 있으며 얼마나 포장을 잘하여 홍보를 하는가에 따라 인지도가 달라진다.

요즘 조회수가 많이 나오는 경우는 월별, 주간, 일간 운세풀이 방식이다. 여기에 중독되어 매일 시청하는 매니아들이 많아 현 대한민국은 점술왕국인 것처럼 착각할 정도이다. 사주에 입문한지 30년이 된 필자(여명)는 지금까지 다양한 이론 공부를 해보았지만 실전 상담에서 큰 차이가 나는 경우도 수 없이 경험을 한다.

사주 공부는 누구나 쉽게 배우고 이해할 수 있지만 실제 상담 현장에서 배운 이론대로 딱 떨어지지 않는다. 역학은 변한다는 의미가 있다. 역학의 근본원리는 불변이지만 해석상황에 따라 달라질 수 있는 것이다. 이것을 이해 못한 학인들은 사주원리가 규격화 된 통일성이 없으면 이현령 비현령 엉터리 학문이라고 한다.

따라서 혹세무민 하는 잡술이라 하기도 하고 또 어떤 이는 사주학은 정확한 학문으로 공부를 제대로 하지 않아 두리 뭉실 하게 통변을 한다고 한다. 수천년 역사를 가지고 있는 고서를 제대로 읽지 않고 자기 방식으로 멋대로 해석한다고 한다. 중국 고서의 대표적인 것 중에 적천수. 자평진전. 궁통보감 이란 책이 있다. 이 책들은 전부 운의 희기만 논하는 것으로 서로 보는 관점이 다 다르니 참고만 해야 한다. 운의 희기는 자신이 다년간의 실전 경험을 통해 스스로 다져야 한다.

사주 공부에 관심있는 일반인들은 쉽게 사주 공부를 접하지만 대부분 기초공부에서 포기하게 된다. 물론 사주기초로도 사주 통변을 할 수 있다. 기초공부가 튼튼하면 한 단계씩 올라가는 과정이 빠르다. 왜냐하면 응용할 수 있는 시각이 활성화가 되기 때문이다. 일반인들이 사주 공부하는 목적이 단순히 취미라고 한다면 기초공부에서 머물러야 하고 비싼 수강료가 필요 없으며 사주입문책을 터득하여 동네 문화센터에 가서 저렴하게 공부하시기 바란다.

아니면 유튜브에 무료로 공부할 수 있는 방법도 있다. 더 깊은 공부를 하기 위해서는 취미 공부가 될 수 없으며 상당한 시간과 투자해야 하는 과정이 필요하니 자신의 삶이 고달퍼 질 수 있기 때문이다. 수십년 전 철학관 영업은 연말초가 되면 성수기로 대부분 호황을 이루었다. 그러나 지금은 간판을 걸고 상담을 하기 위해서는 상당한 실력과 노력이 요구되는 실정이다. 물론 사주 상담 실력도 중요하지만 장소. 상담기법. 홍보 등을 효율적으로 활용해야 한다.

사주 명리학 창업 희망자는 사주 공부만 해서 준비없이 개업하면 대부분 실패하게 된다. 먼저 창업할 수 있는 준비과정에 도움 줄 수 있는 선생을 만나야 한다. 요즘 사이버대학에서 사주 명리학을 가르치거나 특수 대학원에서 석.박사 과정까지 있다. 금전적 여유가 있으면 자신의 홍보나 강의 목적을 위해서 필요할 수 있지만 일반 상담실을 운영하기는 큰 도움이 되지 않는다. 대학에서 한정된 이론강의에 익숙한 교수에게 배우기 보다는 실전상담과 창업에 경험이 많은 선생을 찾는 것이 현명하다.

점술왕국인 한국에서 도사로 소문나는 것은 신끼가 강한 족집게 무속인만 선호하지 않는다. 사주 명리 상담가도 마찬가지다. 일반인들은 사주 상담가를 단순히 심리상담사나 직업상담사처럼 취급하지 않는다. 적중률을 요구하고 도사 상담가를 찾아 다니고 입소문을 내지만 요즘은 미디어 발달로 광고홍보가 넘치어 블로그로 소문을 낸다.

미디어를 활용한 광고홍보 투자가 필수불가결한 세상이 되었다. 거기에 상담하기 입지가 좋은 장소와 상담특징을 분석해야 한다. 결국은 자본투자 없이는 빠르게 자리 잡기 힘들다. 예전에는 사주상담 연령층은 부모세대 이상이었지만 지금은 학생부터 젊은층 20~30대가 대세다.

이제는 역술업도 돈이 돈 버는 직업이 되어 버렸고 사주 명리학이 소셜 미디어 발달로 인하여 엔터테인먼트화가 되어가니 새로운 사기성 상품으로 전략되어 갈 수 있다. 사무실을 운영할 때 수많은 검색광고나 유튜브 방송, 전화상담사 권유 전화가 걸려 온다. 전화. 화상 상담사들은 업체에서 운영하는 룰에 따라 상담하기 때문에 제대로 된 상담이 될 수 없다.

지금 유튜브를 보면 무속인. 스님, 목사. 사주타로 상담사 등 개인방송하는 사주타로 유튜버들이 넘친다. 서로 유튜버들끼리 경쟁

하는 현실이 되었고 방송을 열심히 하여 구독자수와 열성 팬 층을 확보하여 자신의 우월성을 입증하기 위해 노력하고 있다. 현재는 사주 명리학을 가르치는 강사가 홍수를 이루고 있고 또 여기서 배운 학인들은 상담사가 되고 또한 사주 강사가 되니 수많은 역학인들은 서로 경쟁을 이루고 있다.

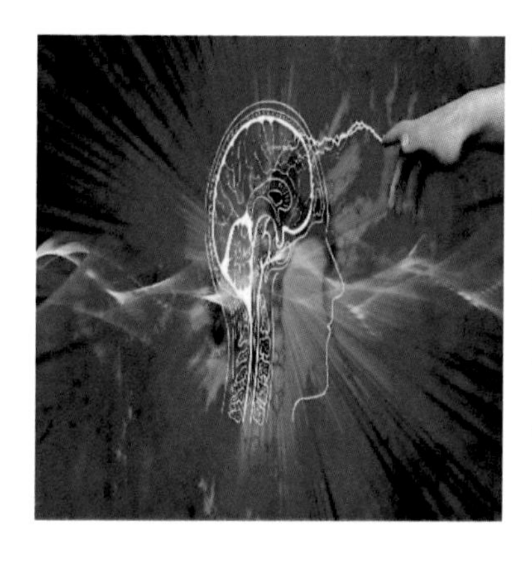

심지어는 화술이 능하고 강사 경험이 풍부한 초보 학인이 어느 날 갑자기 베테랑 인기 강사가 되어 자신을 홍보하는 경우도 많다. 상담사가 되기 위한 교육이 아니라 강사가 되기 위한 교육이 많아지고 있는 실정이다. 물론 자신의 역량이나 인연에 따라 달라 질 수 있지만 이 공부는 처음에 목표설정이 중요하다.

막연히 유튜브 방송을 보고 취미로 시작하여 빠져 들면 오히려 독이 되어 정신상태가 오히려 혼탁해질 수 있다. 자신의 운명을 극복하는 것이 사주팔자 정해진 운에 달려 있다고 확신을 가지는 것이 오히려 운명의 소용돌이 속에 빠져 헤매이게 된다.

13장 제 사주에 이혼수가 있나요?

여성 고객이 사무실을 방문하여 남편과의 갈등을 상담하면서 제일 많이 공통적인 질문은 제 팔자에 이혼운이 있는지요? 하고 물어본다. 한때는 잉꼬부부로 살다가 갑자기 부부 갈등이 일어날 수 있고 한평생 부부간에 소통이 안되어 심한 갈등 속에 어쩔 수 없이 살아가는 부부도 있고 갈등 요인도 각자 상황에 따라 다양하게 나타난다. 타고난 사주에 이혼운이 정해져 있다면 또 다른 동일 사주도 거의 이혼수가 나와야 한다. 하지만 자기 팔자에 배우자와 관계가 나쁘다고 해서 이혼이 정해진 것은 없다.

이혼을 하고 안 하고는 순전히 당사자나 배우자의 선택 의지에 따라 달라진다. 자기 팔자에 배우자와 관계가 좋은 구조로 되어 있어도 실제 배우자 사주팔자를 분석하여 남편 사주에 배우자 관계를 또 분석해야 되고 또한 서로 궁합을 보아 서로 갈등 요소가 심한 지 약한 지 심층분석을 해 보아야 한다. 자기 사주팔자에 배우자 복이 있다고 해서 아무나 만나도 궁합이 좋은 팔자를 만날 것이라는 운명 예정설에 빠져 버리면 안된다. 배우자 복이 약해도 궁합이 너무 좋아 서로 힘든 부분을 이해해주고 감싸주는 부부도 주변에 많이 존재한다. 그런 분들은 철학관에 부부문제로 상담할 필요도 없기 때문에 오지 않고 다른 문제로 상담하러 온다.

배우자복이 좋은데 왜 힘들어서 이혼을 해야 하는가에 대해서 우리는 곰곰이 사주팔자를 인식하는 관점을 생각해 보아야 한다. 타고난 사주팔자가 인생사 모두 결정된 것이 아니다. 어느 정도 타고난 운명적인 틀과 주변환경, 본인의 노력. 여러 가지가 복합적으로 따져야 한다.

따라서 어떤 인생은 타고난 사주대로 사신 분들도 있고 또 어떤 분들은 타고난 사주와는 전혀 다른 삶을 살아가는 사람들도 다양하게 있다. 따라서 동일사주도 동일한 삶을 살지 않는 것은 복합적인 변수작용이 다양하게 존재하기 때문이다. 어떤 철학관에서는 궁합이 안 좋으니 이혼을 권유를 하는데 이혼 결정은 당사자

의 선택의지이다. 서로 부부간에 갈등을 해소하기 어렵다면 고통 속에 사는 것 보다는 이혼을 선택해야 하는데 결정을 못하고 고민하는 것도 본인 팔자속에 그러한 심리가 다 들어 있다.

그런 부분을 올바른 방향으로 조언해드리는 곳이 철학관인데 일부 혹세무민하고 어설픈 실력으로 궁합 인연론을 제기하면서 이혼을 권장해서 한 가정을 파괴시키는 경우도 비일비재하다. 저여명(필자)은 아무리 궁합이 안 좋아도 이혼 권유를 하지 않는다. 그것은 본인의 선택이다. 남편 선택을 잘못하여 내 인생이 망가졌다는 원망과 위로를 받고 싶어하는 마인드 보다는 스스로 올바르게 상황 판단할 수 있는 마음 자세가 더 중요하다.

어떤 역술인은 배우자복이 좋은데 궁합이 안 좋아 이혼을 하고 재혼을 하면 운이 더 좋아진다고 하는데 참으로 웃어야 될지 울어야 될지 답답하다. 재혼을 해도 궁합이 안 좋은 상대를 만날 수 있으면 흉하다는 전제조건을 깔지 않고 무조건 재혼 대길이라

한다면 어불성설이다. 다시 말하자면 내 팔자속에 배우자를 분석하는 것도 중요하지만 더 중요한 것은 상대와의 관계를 분석하는 궁합을 우선해서 보는 것이고 더 중요한 것은 궁합이 아무리 안 좋아도 배우자에 대한 판단을 스스로 현명하게 결정을 내리는 본인의 마음이다. 이 마음공부가 되신 분들은 타고난 사주팔자라는 운명의 소용돌이 안에서 벗어나시는 희열을 느낄 것이다.

14장 사주팔자로 몇 살까지 살 수 있나요?

사주를 보러 오신 분들 중에 건강이나 수명에 대해서 질문을 가끔씩 한다. 제가 언제까지 살 수 있겠습니까? 부모님은 언제 돌아가시겠습니까? 등 여러 가지로 건강과 수명에 대해서 물어본다. 사주 명리학으로 수명이나 건강을 논하는 책이나 이론은 여러 가지가 있다. 단순히 운이 안 좋을 때나 강한 살이나 사주에 필요한 용신이 심각하게 깨져 있는 시기가 온다면 수명을 논하는데 이 또한 문제가 많다.

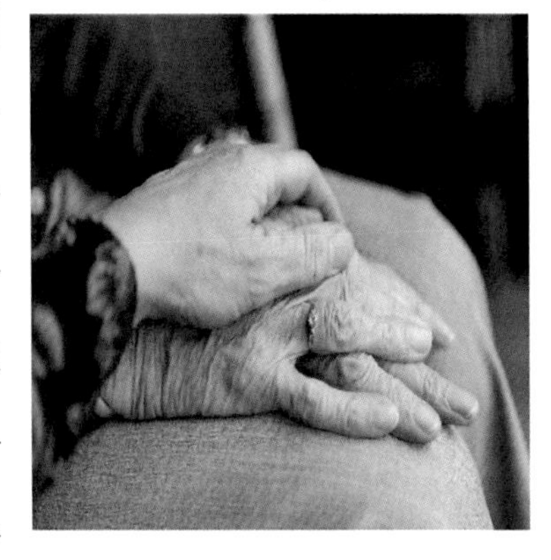

운에 대한 개념 파악을 제대로 인식하지 못하고 운이나 용신이 깨졌다고 함부로 수명이나 건강을 논하는 상담을 해서는 안된다. 만약 타고난 사주로 수명이 정해졌다면 60년이나 180년 주기로 동일 사주가 발생하는데 이런 사주들은 전부 한날한시에 생을 마감해야 할 것이다. 논리적으로나 상식적으로도 말이 안되니 사주 명리학을 그저 미신 취급하는 점술로 인식할 수밖에 없는 것이다.

수명은 천기이다. 인간이 인간의 수명을 논한다는 자체가 말이 안 되고 또한 안다고 하더라도 함부로 누설해서는 안된다. 21세기 지금 100세 시대에 우리는 살고 있다. 의료 발전과 생활 수준이 높아지고 건강 예방에 신경을 쓰는 사회에서 대부분 장수를 할 수 있는 환경에 살고 있다. 사주로 모든 것을 알 수 있다는 어리석음을 빨리 깨달으시고 심지어는 일부 역술가중에서도 사주를 통하여 수명 뿐만 아니라 모든 인생사를 논할 수 있다는 오만에 빠져 스스로 00도사 칭호를 내세우는 사이비 행각을 멈추시 길 바란다.

15장 어린아이를 폭행하는 사주 적성심리

수년 전 서울 금천구 아이 돌보미 학대사건 CCTV 공개로 전 국민이 공분하고 있었다. 또한 어린이집 교사 원생 폭행사건도 비슷한 유형으로 아동학대라는 범죄행위에서 대해서 형량을 강화해야 한다는 목소리가 커지고 있다. 이러한 폭력을 상습적으로 행하는 일부 베이비시터 나 교사들의 타고난 사주속에는 어떤 심리가 작용하고 있을까 살펴보고 싶다.

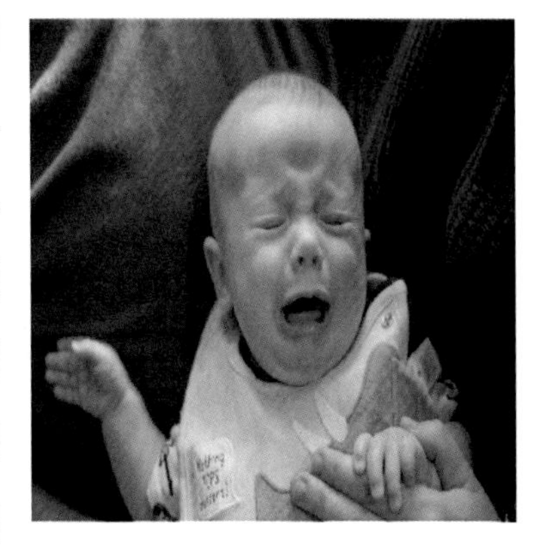

아마 돌보는 아이를 내 자녀처럼 돌보려면 사주속에 모성애 기질이 강해야 한다. 그렇지 않고 자기 감정을 조절하지 못하고 즉흥적인 행위를 하거나 자제력을 잃어버린다면 아직 이성적 판단력이 없는 아이들에게 말 보다는 손이 먼저 가는 행동양식이 드러난다. 이런 사주 심리를 분석해보면 냉정하고 가혹한 심리와 인내심이 약한 성향을 지니고 있다.

기본적으로 사주 십성에서 인성이나 관성이 약하거나 아니면 자기 생각이나 판단을 조절하는 인성이 심하게 극을 받으면 예민한 성향이 나타나고 감정통제를 조절하는 관성까지 약하다면 스스로 감정조절을 할 수 없으니 아이에게 말보다는 행동으로 자기도 모르게 거침없이 습관적으로 폭행이 나온다. 따라서 돌보미나 보육교사를 채용 시 그저 이력서 경력을 보고 채용하는 것 보다는 적성검사를 다양하게 분석하여 자질을 분석하는 시스템이 도입을 되어야 이와 같은 피해를 최소화 시킬 수 있는데 아직 우리나라는 체계적으로 인력 채용하는 시스템이 선진화가 되지 못한 실정인 것 같다.

적성검사는 여러 가지로 분석하는 방법이 있지만 타고난 사주의 가장 큰 장점은 사주팔자로 자신의 타고난 적성을 파악할 수 있고 자기에게 맞는 진로를 분석하여 직업을 유추해 볼 수 있다. 자기에게 직업이 맞지 않으면 매사 불만과 재미가 없으니 사회생활 자체가 불안정 할 것이다. 타고난 적성에 맞는 직업을 선택했다면 아무리 고생하고 힘들어도 재미가 있으니 성실하게 긍정적 마인드로 사회생활을 하게 되는 것이다. 그만큼 대학진학보다는 진로적성이 중요하다. 제가 늘 주장하는 것은 사주팔자는 성인이 되어 살피는 것이 아니라 유아때부터 부모가 자녀를 관찰하는 습관이 중요하다.

16장 작명을 통한 철학관 영업전략

일반적으로 철학관에서 돈을 벌려면 사주상담 중심보다는 전문 사주 작명원을 해야 한다. 그러나 개명이나 작명으로 팔자를 고쳐 개운할 수 있다고 호언장담을 하거나 개운의 댓가로 고가의 작명요금을 요구하는 사이비 역술인들이 예전이나 지금이나 늘 존재한다. 철학원에서 사주상담 비용보다 개명 비용이 몇배 차이가 난다. 심지어는 간판 이름도 작명연구소라고 자칭하면서 작명 위주로만 상담하는 곳도 있다.

이름풀이나 작명이론 종류도 여러 가지가 있다. 개명을 해서 또 다른 곳에서 개명한 이름감정을 받아보면 엉터리로 지었다고 하는 경우도 있기 때문에 몇 개씩 개명한 분도 본적이 있다. 인터넷에 "사주" 라고 검색하면 운세 000사이트. 00작명연구소 수두룩하게 나온다. 비싼 광고료를 지불해도 월 수천만을 번다고 한다. 주변에 철학관을 하다가 작명광고를 하여 대박의 돈맛을 보고 미쳐가는 철학관들이 종종 있었다.

일부 점쟁이들은 굿과 부적이 영업용이고 일부 사주쟁이들은 이름과 부적. 인테리어 풍수 등 정말 다양하다. 실력과 돈이 비례해야 뭔가 공평성이 있는데 사주용어에 재극인(財剋印)이라고 있다. 돈이 인성 즉. 공부를 친다는 것이다. 돈 때문에 공부가 안된다는 것이다. 따라서 돈을 벌기 위해서는 공부를 하지 않는다는 것이다. 그런데 공부를 해야 돈을 버는 팔자도 있다.

사주에 관이 있으면 재가 인성을 극하지 않고 관으로 통관 시켜주어 인성 즉 공부가 살아난다. 이처럼 사주구조에 따라 다 다르다. 철학관을 하면서 작명의뢰가 들어오면 고객 사주를 보고 여러 이론을 대입하여 보면 알맞은 이름이 잘 나오지 않는다. 충분히 일주일 정도 고민을 해야 겨우 작명을 할 수 있는데 요즘은 작명 프로그램으로 쓰다 보면 수십 개 작명이 방대하게 설명되어 인쇄되어 잘 나온다.

어떤 작명전문 역술인은 작명은 사주분석의 대가만이 작명할 수 있다고 호객행위를 한다. 사주풀이보다는 이름풀이에 더 열광적으로 강조하면서 타고난 사주는 바꿀 수 없지만 작명이나 개명을 하여 사주팔자를 보완해주면 크게 발복 할 수 있다고 열변을 토한다. 사주가 안 좋은데 이름도 안 좋으니 개명을 바로 해야 한다고 권유하고, 사주는 좋은데 이름이 안 좋아 조금 보완해주어야 한다고 은근히 개명을 권유하고, 사주는 안 좋은데 이름이 좋다는 경우와 사주도 좋고 이름도 좋다는 경우는 극히 드물게 말한다.

거두절미하고 이름이 운명을 크게 바꿀 수는 없고 어느 정도 부족한 부분을 보완을 시킬 수 있는데 운명의 모든 길흉을 이름으로 돌리는 혹세무민한 일부 사이비 철학관이 문제이다. 하지만 이름이란 본인의 이미지를 평생 대변해 줄 수 있는 명함이기 때문에 자기에게 맞는 이름은 중요하다. 남들이 듣기에 거북하지 않고 본인 이름이 스스로 만족하다고 느끼시면 개명하실 필요 없다고 본다.

어떤 분은 개명 영업도 실력이라고 한다. 맞는 말이지만 그런 분들은 역술인이 아닌 다른 업종을 선택해도 영업을 잘한다. 제가 말씀드리고자 하는 요지는 현대 역술업은 운세업종으로 자리를 잡아가고 있어 현실적으로 기본실력과 영업전략이 병행하지 않고는 이 역술업을 유지할 수 없다. 고가의 개명이나 작명을 하든 안 하든 고객의 결정 문제이고 역술인의 능력이다.

하지만 바늘도둑이 소도둑이 되면 양심에 저버린 역술 사기꾼이 되어 혹세무민 하게 되는 것이다. 과거 어떤 스승이나 선생이 사주공부나 잡술만 가르쳤지 현실적으로 제자들 생계안정을 위해

힘을 쓴 적이 없고 또한 방법도 모르고 그냥 공부하고 실력을 쌓고 운이 오면 다 해결된다는 운명 예정설에 사로잡혀 허송세월 보내다가 가족에게도 인정을 받지 못하고 쓸쓸하게 생을 마치고 가신 분들을 종종 보았다. 앞으로 저에게도 주어진 똑같은 딜레마이다.

17장 왜 아이 사주를 봐야 하는가

소중한 자식이 태어나면 이름을 짓기 위해 흔히 철학관이나 절에 다니시는 분들은 스님에게 찾아가 이름을 지으러 간다. 사주에서 필요한 기운을 보충하여 작명을 하고 대략 아이의 전체적인 사주 총평을 해주곤 한다. 하지만 구체적인 사주풀이를 부탁하면 어릴 때 사주를 자주 보게 되면 복이 달아나 안 좋고 특히 좋은 사주는 주위에 공개하지 않아야 대길하다고 종종 이야기한다.

과연 어릴 때 자녀 사주를 많이 보러 다닌다고 타고난 아이 사주가 불길한 운명으로 달라질 수 있을까? 지금까지 사주 명리학이란 학문을 인정하지 않고 점술적인 형태로 유사하게 혼용되어 사람들에게나 일부 사주쟁이들에게 인식되어 왔다. 또한 사주를 형이상학이고 초과학으로 너무 신비 버전으로 몰고 가면서 사주를 신의 학문으로 공부를 해온 지금까지 사주 학인들의 인식체계에도 문제가 있다고 본다.

사주 명리학은 신이 만든 학문이 아니라 인간이 만든 학문이고 일정한 세월과 시대의 흐름에 따라 고법과 신법으로 학문적으로 전해 왔고 중국 송나라때 서자평 이후 자평명리학으로 이론 체계가 잡혀 지금까지 전해오고 있다. 지금은 현실에 맞게 다양하게 해석하고 연구한 학자들 중에 심리학과 명리학을 접목을 시켜 사주를 새로운 각도에서 바라보고 연구하며 발전하고 있는 추세이다.

자녀가 태어났을 때 자녀의 타고난 사주를 보고 부모가 알아야 하는 것은 대단히 중요하다. 단순히 사주팔자가 좋다 나쁘다 라는 인식에서 벗어나야 한다. 아이의 타고난 성향을 파악하여 적성을 분석하는 부모의 관찰이 중요하다. 유아때부터 심리분석을 통하여 아이의 사주 속의 강점과 보완점 등을 파악하여 아이의 성장하는 모습을 지켜보면서 초등학교. 중학교 시기의 학습지도에 따라 진로를 설정하고 고등학교때 아이의 공부수준에 따라 진학에 신경을 쓴다면 이만큼 부모의 역할은 아이에게 행복을 줄 수 있는 직업을 선택하는데 크게 도움을 준다. 막연히 학원을 보내고 학과를 선택하여 수능을 보고 다시 재수. 반수 삼수 등 도전을 하여 학생은 학생대로 부모는 부모대로 서로 갈등과 불신속에 가족 간의 유대관계는 깨지고 답답하여 상

담 받으러 오신 부모들이 상당히 주변에 많다. 적성에도 맞지 않고 대학도 만족하지 못해 포기하고 도전하니 자녀에겐 기회손실이 크고 부모에겐 경제적 손실이 엄청나다고 볼 수 있다. 현재 공교육에 대한 불신은 이미 나락에 떨어져 있고 사교육에 얼마나 치중하고 계신 지는 누구나 공감할 것이다.

국가 교육 시스템이 제대로 바뀌려면 시간이 걸릴 수 있으니 먼저 가정교육이 선행되어야 한다고 본다. 그러기 위해서는 부모의 자녀교육에 대한 인식 전환이 시급하다. 경쟁사회에서 자식을 성공시키는 부모의 자세도 중요하겠지만 자녀에게 맞는 진로를 결정하고 직업을 선택해서 안정적 사회생활을 영위한다면 지금처럼 심각한 청년 실업자 위기를 극복하는데 크게 도움이 될 것이다.

18장 20대 방황시절 사주공부 시작하다

여명(필자)은 92년도 그 당시 구통도가 라는 단체가 있었는데 처음으로 이곳에서 사주 공부 시작이 되었다. 전국적으로 대학가 동아리에서 사주와 기공으로 오행 색상으로 도 수련하는 단체인데 그때 사주카페(원조)가 처음으로 생기고 사주 보는 대학생도사라고 길거리에서 사주상담이 유행한 적이 있었다,

그 이후에는 전문적으로 사주 명리를 하는 사주카페가 활성화가 되었다. '천기누설' 책은 음양오행과 십이지 특성과 기본적인 합충으로 보는 간법인데 요즘 사주 명리학 입장에서 보면 초급 수준이고 기질과 성향을 보는 면은 장점은 있지만 지금은 이 단체는 거의 사라지고 명맥만 유지하고 있는 것 같다.

그때는 만세력을 보고 사주 뽑고 오행의 유무에 따라 판단하는 수준에 사주 공부가 끝났다. 그때 당시 기록한 강의록이 허접 하다고 하여 폐기처분 했는데 지금 생각하면 아쉽다. 기초가 중요하다는 것이 그 당시에는 느끼지 못했기 때문이다. 어떤 공부 든 나름 얻는 것이 있고 공부하는데 좋은 자료가 될 수가 있다.
20대 시절 운명학에 관한 관심이 유별했던 것 같습니다. 대형서

점 역학 코너에 가서 이해할 수 없는 수많은 책들을 바라보면서 빠져 있는 내 모습을 보면서 염세적이고 비현실적인 4차원의 세계에 중독되어가고 있었다.

서점에 가면 역학책을 사서 책장에 꽂아 두는 이상한 취미가 생겼고 독학할 수 있는 머리가 안되면서도 밤 늦게까지 사주책에 빠져 있는 것을 보면 지금 생각해보면 사주쟁이가 천직이다고 볼 수도 있었다.

어릴 적 내성적이고 소심하면서도 철학적인 사유가 있었고 그런 이유로 대인관계가 조금 불편했던 시절인 것 같다. 주변 사람들에게 사주공부 좀 했다고 폼을 잡고 아는 체하는 시절이었는데 지금 생각하면 완전히 돌팔이 수준이었다. 그때만 해도 취미로 사주 공부하는 사람은 별로 없던 시절이었다.
남도의 한 시골에서 태어나 비교적 유복한 가정 속에서 분에 넘치는 사랑과 관심을 받고 유년시절을 보냈지만 복잡한 집안 환경

속에서도 공부에 대한 열정은 있었지만 모든 게 유시무종의 결과 속에서 현실적인 불만과 방황 속에서 어디론 가 멀리 떠나서 살고 싶은 충동감이 앞섰지만 그저 20대를 허송세월 속에서 불효자식이 되어 나의 참모습을 찾지 못하는 시절이었다.

이제는 한 집안의 가장이 되어 제 자식을 바라보았을 때 제 어린 시절과 비교가 되니 이제서야 부모님 심정을 조금 이해할 수 있는 것 같다. 상담을 하다 보면 부모와 자식이 소통이 안되어 갈등하는 가족이 많다. 부모가 유년기 때부터 자식의 진로와 적성을 관찰하여 교육을 시키고 자식과 수직관계가 아닌 수평관계로 타협하면서 관심을 가져준다면 행복한 부모 자식 관계를 형성할 수 있다.

청소년 시절은 꿈이 많고 이상이 넘치는 시기이다. 물질적으로 빈곤한 가정의 자식들은 철이 빨리 들 수도 있다. 그러나 비교적 경제력이 있는 가정의 자식들은 스스로 자립심이 약할 수도 있다. 부모들은 남과 비교를 하면서 현실적 안정 위주로 보는 경향이 많다. 물론 자식의 성향이 안정을 추구하는 성향이라면 문제가 없겠지만 도전적이고 변화를 두고 싶고 이상적이라면 부모와 갈등이 심할 수 있다. 이 부분을 서로 극복할 수 있는 지혜가 필요하다.

타고난 사주팔자를 본다는 것은 종교도 아니고 허무맹랑한 미신도 아니다. 역학공부를 하다 보면 과학을 앞선 초과학이라는 것에 감탄하지 않을 수 없으며 다른 학문 영역까지 모두 응용할 수 있다고 서서히 밝혀지고 있다. 이 글을 읽고 계신 구독자분들은 좀 더 성찰해 보시고 스스로 사주 명리학을 기본이라도 공부하시어 자녀 지도나 자신의 정체성을 파악해보시면 지난 시절 용한 도사나 사이비에게 집착하는 것이 얼마나 어리석었다는 것을 알게 된다.

19장 사주팔자 용신타령 이야기

여명(필자)이 사주공부를 하면서 느낀 점을 이야기를 해 보려고 한다. 처음에 왕초보 사주공부를 끝내고 일간을 위주로 신강,신약을 따져서 신강하면 식(食)재(財)관(官)을 용신(필요한 오행)으로 하고 신약하면 인(印)비(比)를 용신으로 하여 억부용신을 따진다. 용신에는 억부. 격국. 통관. 병약, 조후 등으로 정격과 외격(종격.특별격)으로 분류하여 길흉운세를 파악한다.

25년 전 사주공부의 흐름은 중국고서의 연해자평. 적천수(천미) 등과 한국의 이석영 선생의 사주첩경으로 공부하는 학인들이 대부분이었다. 이 공부는 일간 중심의 억부와 격국용신으로 보는 법인데 그 이후 중국고서의 자평진전(심효첨)이라는 책이 국내에 도입이 되어 월지 중심의 격국용신법이 젊은 학인들에게 유행하기 시작하였고 또 다른 변형된 격국용신과 조후용신 위주의 궁통보감(중국고서)과 한국버전의 자연물상론(난강망) 등이 우후죽순처럼 퍼지기 시작하였다.

3대 보전이라 일컫는 적천수(억부). 자평진전(격국). 궁통보감(조후)을 응용하여 스스로 터득했다는 자칭 도사도 있었는데 이

용신공부는 부귀빈천을 파악하여 길흉운세 파악을 목적을 두고 있다. 자평진전 위주로 강의를 하신 여러 선생들에게 공부를 해보았는데 기본 십신 구조파악에는 큰 도움이 되지만 용신 길흉을 파악하여 형충합을 적용하는 운세파악 강약이 서로 다른 강의가 대다수였다. 또한 육친관계나 다양한 통변을 하는 데는 한계가 드러나 별도로 공부를 해야 한다.

난강망이라고 하는 고서가 두 부류가 있는데 시중에 나와 있는 중국고서가 아닌 한국 어느 도사가 지은 자연물상에 관한 책인데 십신을 적용하지 않고 오행을 중심으로 보는 것인데 일반 용신법과 전혀 다르다.

예전에는 가르치는 선생이 많지 않았지만 지금은 선생이 넘치고 배우는 곳마다 새로 다시 배워야 하니 도대체 각각 다른 선생 찾아다니다 한 평생 공부하다 끝나는 역학공부의 현실이다. 운명학 공부는 아무리 학문적 논리가 있어도 실전에서 적중하지 못하면 아무 의미가 없다. 따라서 본인의 용신이론을 확립했다면 수많은 사주 명조를 비교.검증을 하여 통계를 내어 주장을 해야 한다. 이렇게 하기 위해서는 상담과 강의를 통하여 수많은 자료를 분석해야 하니 상당한시간과 투자가 필요하다.

어느 누가 힘들게 고생하여 소중히 아낄 수밖에 없는 자료를 쉽게 공개하기 힘들다. 그러나 지금 현실은 역학자료가 넘쳐나고 가르치는 선생도 넘치니 어느 누가 사정상 어쩔 수 없이 강의와 출판을 하여 공개가 되어도 절대 인정받지 못하고 무시당하는 정말 웃지 못할 역학시장의 요지경이다. 운명학에 관련된 정보가 넘쳐버리면 오히려 역작용이 일어날 수 있다.

다시 본론으로 들어가면 신.강약을 따져 일간 억부용신이 한계가 오면 월지 중심의 격국용신을 공부하게 된다. 이 또한 한계에 부딪쳐 조후로 보는 궁통보감을 공부하게 된다. 각각 보는 방법이 완전히 다르니 혼란이 올 수밖에 없다. 여기서부터 욕심 많은 학인들은 비법 찾아 헤매는데 여기서 등장하는 인물이 고인이 되신 박도사간법을 찾게 되는데 이기론, 물상론 등 박도사 제자라는 분들이 나타나 비법 강의가 유행했다. 이 시점에 15년 전부터 중국 맹파사주 단건업 신사주학이 국내에 들어왔다.

중국은 기존의 중국고서를 탈피하고 형충합과 물상론을 대입하여 점술 명리학으로 진화되고 있었다. 이때 한국에서도 신사주학을 주장하신 부산의 한밝 김용길 선생이 있었는데 흡사한 점이 많았고 이 분의 간법은 모든 자료가 실전에서 검증되어 나온 자료이고 이론강의가 아니고 사주 통변 강의가 탁월하다. 그 이후 유튜브라는 온라인상에 수많은 선생들이 자신들이 창안한 간법이나 스승에게 배운 이론을 가지고 자신들을 홍보를 하고 있다.

결론적으로 이 사주 팔자 공부를 하기 위해서는 어느 정도 준비 자세가 필요하다. 이 사주 팔자 공부도 다양한 영역이 있으니 이 중에서 본인에게 필요한 공부를 선별하여 공부해야 한다. 아니면 취미로 사주공부를 하고 싶으시면 깊게 들어가서는 안된다. 제 블로그 왕초보 사주학 공부로 끝내시고 귀중한 시간낭비 하지 마시고 상담이 필요하시면 본인이 선별한 철학관을 직접 방문상담 하시 길 바란다. 역술업 창업을 원하신다면 경제적 여유가 되신 분들에게만 추천 드리고 싶고 경제적 여유가 마땅하지 않으시면 다른 업을 찾는 것이 현 국내 실정으로 보아서는 현명하다.

왜냐하면 코로나 이후 비대면이 활성화가 되어 오프라인 방문상담은 더 줄어들어 경제적으로 힘들어진다. 차라리 온라인 상담이 유리할 수 있는데 이 또한 기복이 심하다. 그리고 현실적으로는 단순히 운세파악으로만 상담할 수 없으며 다양한 통변으로 차별화 없이 이 역술시장에서 살아나기 힘들며 이미 포화상태이고 일반인들도 사주공부를 하여 도사수준의 상담을 원한다. 예전 철학관에서 하는 상담방식으로는 이제는 한계점에 이르러 좀 더 전문적이고 특화된 상담방식을 선택해야 한다.

20장 개인환경에 따라 사주해석이 달라져야 한다

동일 사주로 타고났어도 시대적 환경에 따라 사주 해석이 달라져야 한다. 과거 계급사회구조인 삶의 환경과 현대 자본주의 사회구조인 환경에서는 전혀 다른 형태의 시대적 환경을 가지고 있기 때문에 개인의 사주 해석이 다르게 나타난다. 과거에는 한 사람의 부귀빈천을 볼 때는 관록을 가지는 것을 최고의 부귀 팔자로 삼았지만 지금 현대는 일반적으로 재물을 최고의 부귀 팔자로 우선하는 자본주의 사회에 살고 있다.

또한 같은 시대에 동일한 사주가 살고 있어도 국가나 지역이나 빈부격차에 따른 사회적 분위기에 따라 동일 사주도 많은 차이가 난다. 국가의 사회복지가 잘 조성된 환경에 살고 있는 개인의 삶은 사주팔자를 떠나서 기본적으로 안정적인 환경을 받고 있는 경우와 빈곤한 국가에서는 아무리 타고난 사주팔자가 좋아도 상대적으로 주변 환경이 열악하면 개인의 물질적 삶이 좋다고 볼 수 없다.

한 국가에서도 사업을 하더라도 지역이나 수준의 여건 조성에 따라 동일 사주 사업도 강약 고저를 다르게 판단해야 한다. 이처럼 각자의 타고난 사주팔자를 가지고 있어도 시대적. 국가적. 지역적 환경과 여건에 따라 사주가 동일하거나 다르다고 하더라도 각자의 사주 해석은 달라져야 한다. 과거 직업의 종류가 한정된 사회 분위기에서는 개인의 삶 자체도 복잡하지 않고 어느 정도 정해진 삶을 예측할 수 있지만 현대는 수많은 직업의 종류와 다변성이 심한 분위기에서는 직업이나 사회적 여건에 따라 운명을 예측하기가 복잡하고 다양하다.

따라서 사주 고전 이론이나 원칙에 얽매여 시대적 환경이나 국가나 지역의 현실적인 여건이나 환경을 고려하지 않고 단순하게 글자대로 해석하는 어리석은 우를 범해서는 안된다.

사주 명리학은 추명학으로 운명을 추리하고 미래를 예측하는 학문이다. 사계절이 분명한 절기력에 맞추어 자연현상에 인간의 운명을 적용하여 추명하는 동양의 운명철학이기 때문에 전 세계인들을 대상으로 사주 명리학으로 운명을 모두 적용하기에는 무리가 있고 각 나라마다 그 나라 사람에게 적용하는 운명학 이 따로 존재하기 때문

에 신토불이라는 말처럼 사주명리학은 각 나라의 문화와 환경에 맞추어 개인 운명을 해석하는 것이 가장 올바른 방법이다.

심지어는 나라마다 화폐가치나 직업의 종류에 따라 재물의 크기도 다르게 통변해야 한다. 예를 들어 재물운이 들어왔을 때 잘나가는 연예인과 소규모로 장사를 하는 사람의 재물의 크기는 천차만별이다. 1억이라는 돈이 한국에서는 아주 큰돈이라고 할 수 없지만 어떤 나라에서는 평생 쓸 수 있는 큰돈일 수 있다. 그만큼 개인에게 처해진 환경이나 여건이 중요하다.

그 환경은 타고난 것도 있지만 내 스스로 만들어가는 환경도 있다. 개인의 사주팔자 속에 살아가는 환경을 알아 맞힐 수 없다. 이것을 알 수 있다면 학문이 아니라 시공간을 초월하는 영적인 능력을 보이는 점술 영역이다. 따라서 사주 해석을 정확하고 올바르게 예측하기 위해서는 현재 개인의 기본 정보가 인지된 상태에서 타고난 사주팔자와 비교 종합 분석하는 것이 필요하다.

21장 사주공부에 관심있는 분들에게

***** 사주공부 지름길 *****

첫째로. 초급과정이다. 왕초보 사주 학인들은 아주 저렴하게 수강할 수 있는 문화센터나 온라인을 통해 수강하시고 사주이론 기초공부와 사주 뽑는 연습과 오행. 십신. 상생상극이 한눈에 볼 수 있도록 손으로 직접 쓰면서 훈련을 해야 한다. 사주 명조 500~1000명을 노트에 작성하여 음양. 오행. 십신. 신살. 공망 등을 직접 기입하면서 사주 명식을 보면 머릿속에서 8글자가 떠오를 정도로 연습해야 한다. 각자의 역량에 따라 3개월에서부터 수년이 걸릴 수 있다.

둘째로. 중급과정이다. 대부분은 스승을 찾아 헤 매이는 과정이다. 시간과 금전비용이 엄청날 수 있다. 사주 강사들의 사주이론 설명이 상이하는 경우가 많기 때문에 스승이 바뀔 때마다 새롭게 다시 공부해야만 하는 악순환의 연속이 될 수 있다. 따라서 중급과정은 독학을 권장한다. 역학의 3대 보전이라 하는 적천수(억부용신), 자평진전(격국용신). 궁통보감(조후용신) 기본서를 해석해 놓은 책 3권과 쉽게 1권으로 설명되어진 사주정설이나 기타 등을 다독하시고 이해만 하시면 된다. 그러나 이것으로 사주통변을 한다는 것은 큰 오산이다. 아직도 여기 고전에 매달려 허송세월 보내는 학인들이 많다.

셋째로. 고급과정이다. 여기서부터 제대로 스승의 가르침이 필요한 단계이고 독학으로서는 너무나 많은 시간이 필요하다. 스승 없이 책을 보고 독학을 하시어 자기 간법을 터득하신 선생들을 보면 최하 20년이상 고생했다고 한다. 그렇지만 겉만 화려하고 엉터리 선생도 많다. 중급과정을 스스로 터득 못하신 학인들은 분별력이 약해 선생 찾아 삼만리를 떠난다. 저 또한 그런 경험이 많았고 아직은 최고의 제자를 양성할 수 있는 실력과 인성이 부족하여 과거 강의를 잠깐 하다가 접었다. 이 단계는 실전 통변의

마지막 단계이다. 어떠한 사주 명조를 보고 핵심을 집어내고 분석해야 하며 운세대입과 육친관계. 현재 당면문제 파악. 실제 현장에서 역술가 상담을 할 수 있도록 지도를 해주는 선생을 만나야 한다. 그렇지만 현실은 과연 상담을 전문적으로 하는 역술가

들은 강의할 수 있는 여건이 안되고 강의를 전문적으로 하신 선생들은 실전 상담지도가 부족한 부분이 많다.

따라서 자신의 역량에 맞는 스승들을 찾아 부족한 부분을 개인사사 받으시고 또한 철학관이나 사주타로샵을 운영하는데 주변 선생들 과의 교류는 중요하기 때문에 너무 공부에만 매달리지 마시고 술과 학을 동시에 응용하셔야 역술업이라는 직업이 완성된다.

22장 사주팔자에 대한 올바른 인식

사무실에 방문한 고객들 대다수는 현재 답답하고 고민이 있어 어떤 사항을 선택해야 하거나 아니면 선택한 사항을 재차 확인하고 싶은 심리가 있어 찾아온다. 많이 보러 다니신 분들은 간단히 한가지 사항을 보기 위함도 있지만 저렴한 상담비용으로 타로점을 선호하신 고객도 있는데 이런 고객들에게 대개 사주상담을 권유를 하면 보통 2가지 유형의 대답을 한다.

사주를 수없이 보러 다녔지만 맨날 똑같은 소리만 하여 보면 뭐 합니까?" "사주를 볼때마다 왜 다 다르게 나옵니까? 사주가 맞긴 맞습니까?" 하고 대답을 한다. 각자 타고난 사주 구조의 난이도에 따라 사주 통변이 비슷하게 나올 수도 있고 전혀 다르게 해석하여 나올 수도 있다.

그래서 일반 고객들 입장에서는 자기 사주팔자가 좋거나 나쁘거나 보는데 마다 비슷하게 나오면 원래 똑같으니 그런 소리를 하고 또한 보는데 마다 전혀 다르게 말하면 사주팔자에 대한 신뢰도가 떨어질 수밖에 없으니 좀 더 용한 도사를 찾아 다닌다. 또 어떤 역술인은 원국의 사주팔자만 보지 마시고 일년마다 들어오는 그 해의 운세 즉 일년 신수를 정초에 꼭 보아야 한다고 강조한다. 우리 정서상 예전부터 정초에는 일년 신수 토정비결 등을 보는 관

습이 있어 역술인들에게는 정초때가 한마디로 대목이고 성수기이다. 그 해에 길흉을 판단하여 피흉추길(나쁜 것은 피하고 좋은 것은 얻는다) 하려는 목적 때문에 미리 일년운을 본다는 것이고 월별로 12개월동안 길흉사를 분석하여 운세를 파악하는 것이다.

이 또한 운세도 보는 역술인마다 서로 다르게 해석을 할 수도 있고 비슷하게 나올 수도 있다. 일반 고객들은 점술은 우연이고 그때마다 다르게 나올 수 있다고 생각하는데 "사주는 정해진 것인데 왜 보는데 마다 다르게 나오죠? 사주보는 실력이 없으니 그러는 것 아니어요" 하는 분도 있어 자기에게 맞는 사주박사. 도사 등을 찾아 전국 삼만리를 떠나시는 사주 매니아들도 주변에 많다.

요즘 인터넷에 전국 용한 점쟁이 찾는 사이트가 있어 방문상담 후기를 올려 놓고 서로 정보공유를 하는데 족집게 도사에 초점을 두고 사주나 점술을 바라보는 단순한 무지에서 오는 일반인들의 욕

심이 용한 도사의 환상에 빠져 있는 것 같다.

다시 본론으로 돌아가면 꼭 정초에 일년 신수를 보아야 한다는 의미는 없으며 어느 때라도 원하는 그 해의 운세를 볼 수 있다. 다만 운세를 본다는 것은 누구나 볼 수는 있지만 각자의 주변상황이나 여건에 따라서 운세의 흐름을 분석 해야지 무조건 운의 희기를 보고 월별로 분석한다는 것은 해석이 삼천포로 빠져 버릴 수 있다.

또한 예측하는 것은 정해진 운명이 아니기 때문에 굳이 사주가 아니더라도 다른 점술형태로도 예측할 수 있다. 그러나 사주 매니아들은 사주는 정해준 운명이라는 확신 때문에 모든 길흉사를 사주팔자를 통해서만 해결하려고 하고 너무 깊게 맹신을 한다. 사주 명리학은 정해진 운명을 분석하는 것이 아니고 크게 보아서는 타고난 성향과 운세의 흐름을 파악하는 것이다.

운세의 흐름도 각자 타고난 환경에 따라 운세의 우열이 다 다르다. 예를 들어 똑같이 현재 운세가 불길해도 처해진 상황이 그 사람의 직업이나 능력에 따라 현실적으로 감지할 수 있는 운세의 길흉이 다르다. 또한 현재 운세가 대길해도 주변 여건이 그저 단순한 가정주부로만 살고 있거나 자신의 삶 자체가 자연인처럼 생활하는 분들에게는 운세가 큰 의미가 없다는 것을 인식해야 한다. 사회생활 자체가 기복이 심하고 결과의 변화성이 다양한 업종에 종사하신 분들은 특히 사업에 종사하신 분들이 운세의 영향을 가장 많이 받는다.

따라서 좋은 운이 들어왔다는 것은 지금까지 고생해서 준비한 과정이 결과를 낼 수 있는 환경 조건이 된다는 것이다. 이런 상황을 고려하지 않고 글자대로 운세를 해석해 버리면 운만 좋으면 단순하게 모든 사항을 만사형통으로 해석하고 심지어는 내 운이 좋으면 내 가족도 좋아진다는 어리석은 해석을 하고 만다.

좀 더 우리가 사주팔자와 운세를 바라보는 인식하는 자세가 달라져야 하며 사주 상담을 받기 위해서는 어느 정도 사주에 관한 일반상식을 파악하고 철학관에 가서 상담을 받아야 일부 혹세무민한 사이비 역술인들은 사라질 것이며 올바르게 힐링 상담과 삶을 유용하게 살아갈 수 있도록 등불 역할을 해줄 수 있는 진정한 철학관으로 인식을 가지게 될 것이다.

23장 관상. 수상(손금)에 관한 이야기

가끔 TV를 시청하다 보면 도사풍의 차림으로 관상이나 손금 전문가로 출연하여 시청자들에게 손금에 대해서 설명을 하는데 그 내용을 들어 보면 아주 기초적인 이론이 대부분이다. 풍수. 관상이나 손금(수상)은 상(相)을 다루는 학문으로 직감력이나 영감이 있어야 어느 정도 경지에 오를 수 있다고 한다. 수시로 바뀌는 찰색(기색)의 변화의 흐름에 따라 길흉이 수시로 달라진다고 한다.

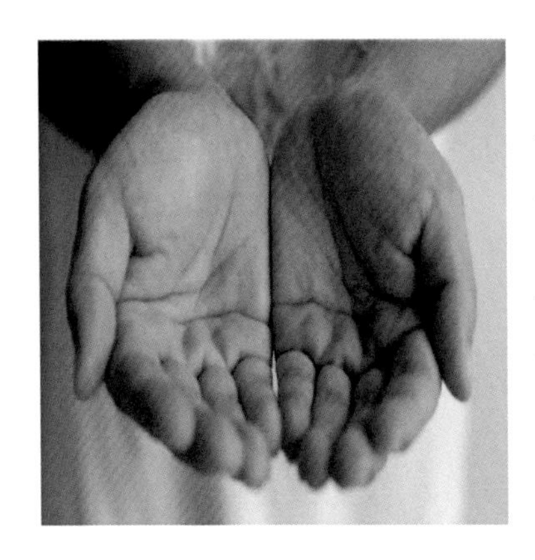

일반적인 이론을 가지고 적용을 해도 맞지 않는 부분이 많고 본인의 주변환경에 따른 마음상태에 따라 관상이나 손금은 자주 변한다는 사실을 인식해야 한다. 얼굴의 골격이나 손 모양(수형)은 쉽게 바뀌지는 않지만 나머지는 자주 변하기 때문에 타고난 좋은 관상이나 손금을 갖추었다고 자만해서도 안되고 실망할 필요도 없다. 관상보다 심상이 더 중요하다는 말이 있다. 마음의 상태에 따라 상이 바뀐다는 사실을 명심하시길 바란다.
예전에 손금 연구를 오랫동안 하셨다는 선생이 공개 강의를 한다고 해서 참석한 적이 있었다. 참석한 수강생들을 일일이 양손을 보고 감정을 하는데 어떤 여자분은 한마디 맞추고 저의 경우는 어처구니없는 엉뚱한 소리를 들었다. 이론에는 박학다식 하지만 임상연구는 다소 부족해 보였는데 이런 선생들이 대부분이다.

정말 관상이나 손금이 신의 경지로 혜안이 열리려면 이론공부로는 한계가 있다고 본다. 주변에 관상이나 손금에 관련된 내용들은 거의 기본적인 이론에 불과하고 이런 내용을 가지고 공부를 하게 된다.요즘 젊은 층들에게 관상 성형이나 손금에 관한 호기심이 많아 자주 문의가 들어온다. 성형을 하면 관상이 바뀌지 않나요?

손금을 보고 생명선이 짧아 단명하다는 둥 결혼선이 안 좋다는 등 아주 지엽적인 한 부분만을 보고 스스로 고민을 많이 한다. 인터넷에 정보가 넘치고 스스로 검색을 하여 자료를 보고 쉽게 접근을 하니 물론 각자의 성향에 따라 여러 가지 유형이 있는데 재미있게 받아들이는 사람. 미신 취급하여 거부하는 사람. 쉽게 빠져 집착하고 매달린 사람 등이 있다.
예전에 비해 지금은 이러한 정보를 누구나 쉽게 얻을 수는 있으나 제대로 이해를 못하고 받아들이니 쓸데없이 너무 알아서 병이 된다는 것을 알아야 한다. 역학이 문외한 일반인들은 사주보다는 쉽게 본인의 관상이나 손금을 보고 비교할 수 있으니 다른 운명학보다 더 관심을 가지는 경우가 많다.

책이나 인터넷에 널려 있는 자료를 보고 본인 스스로가 관상. 손금이 좋다(부자.장수) 나쁘다(빈자.단명) 이런 선입견을 가지시면 안된다. 막 쥔 손금도 가난한 자도 있고 생명선이 짧아도 장수한 사람이 얼마든지 있다. 전체적인 종합적 판단을 하지 않고 오로지 한 부분만 약하다고 해서 가부 결정을 쉽게 해서는 안되는 것이다.

관상이나 손금은 너무 깊게 운명적으로 빠지지 말고 경험에 의한 통계학이라 생각하시고 가볍게 성격을 파악하는 정도로 받아들이는 자세가 중요하다. 선천적으로 타고난 성격을 파악하는데 참고하시는 정도로 관심을 가지셔도 자신의 인생을 살아가는데 어느 정도 도움을 줄 수 있다고 보는데 타고난 사주나 관상. 손금. 이름 등으로 너무 운명론적으로만 깊게 빠져 버리는 태도나 집착은 차라리 미신으로 취급하고 일체 부정하면서 자신의 노력으로 인생을 개척하는 자세가 더 이 세상을 현명하게 살아가는 것이고 어설프게 운명학에 관한 배운 지식을 가지고 알 수 없는 운명을 함부로 논하는 저를 포함한 역술인들도 올바르게 상담하거나 교육하지 않으면 구업(口業)의 죄를 벗어 날 수 없다는 것을 명심 또 명심하시길 바란다.

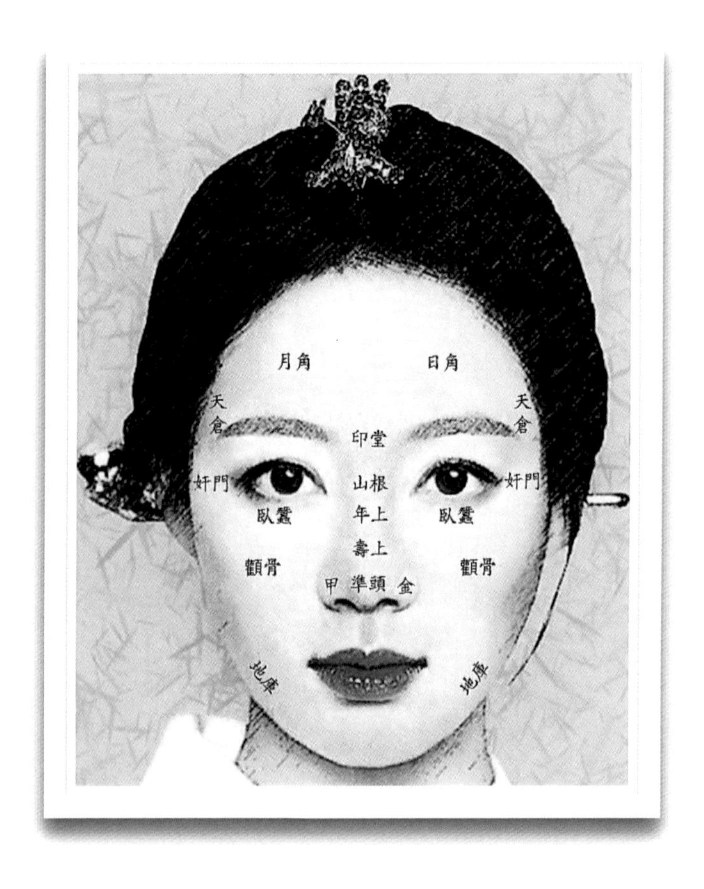

24장 미래 창업 역술인에게 드리는 조언

사주공부는 눈으로 하는 것보다는 소리를 내고 글을 쓰는 것이 최상의 방법이다. 소리를 내기 위해서는 온라인 강의나 오프라인 강의가 필요하다. 그런데 요즘 온라인상에 자기 홍보를 위해서 중구난방으로 너무 난립하여 도대체 어느 것이 최상의 공부법인지 학인들은 혼동할 수 있다. 역학공부는 끝이 없지만 직업상 어쩔 수 없이 역술업을 희망하신 분은 학과 술을 구분할 줄 알아야 한다.

방대한 이론적인 학문보다는 기본이론에 창의적으로 응용할 수 있는 역술가가 되기 위해서는 기본에 충실해야 하고 이것을 통째로 반복 숙달하는 훈련이 필요하다. 왜냐하면 실전에서는 순발력(직감)과 표현 구사력(화술) 없이는 아무리 역학 박사학위자라도 인정을 받지 못하고 무시당하여 자괴감에 빠져 자존심이 강하신 분이나 경제적 여유가 없는 분들은 중도 포기하는 경우가 많다.

사주공부는 오랫동안 공부한다고 해서 상담을 잘하는 것이 아니다. 지금 주변에 잘나가는 철학관이나 사주타로샵을 운영하는 선생들을 분석해 보면 고객영업전략 수법이 탁월하다. 지금은 정보 홍수 속에서 점집은 더욱 포화상태이고 기존의 철학관은 많이 줄어들었다고 하지만 현재는 철학관을 대체하는 사주타로샵들이 번화가에 대거 몰려 있다.

일례로 저의 근방에 비싼 임대료에도 불구하고 사주 타로샵이 1,2층에 10개가 넘는 것을 보고 예전에 철학관 운영방식과는 현실적으로는 너무나 다른 풍경이다. 또 달라진 점은 대부분의 사주타로샵들이 무료 이름풀이로 개명 영업을 유도하는 것을 보고 비교적 저렴한 상담요금을 대체하는 방안을 연구하고 있고 심지어는 서울 강남이나 홍대 근처 목이 좋은 샵들은 권리금이 1억이 넘는데도 이런 곳을 몇 개를 운영하는 선생도 있다고 한다. 하지

만 수 십년 동안 공부하고 시간과 정력과 돈을 투자하여 개업을

하였지만 현실 보편적으로는 찾아오는 손님이 없어 저렴한 상담 요금(30년 전 사주 상담요금과 비슷)에 사무실 운영하는데 허덕이고 손님들은 인생 상담이 아닌 점술 상담인 족집게 도사에 집착하여 소문난 도사에게는 예약 손님이 계속 밀려 있고 대부분 선생들은 사무실에 홀로 공부를 하면서 그나마 자리를 지키고 있지만 공부보다 돈이 앞선 선생들은 자리를 박차고 나올 수밖에 없는 실정이다.

어떻게 하면 수많은 경쟁 속에서 살아남을 수 있을까? 물론 다른 직업들도 다 힘들겠지만 좀 더 장기적인 계획을 가지고 준비를 해야 한다. 현실을 잘 모르는 초학자들은 사주 공부만 아주 많이 하면 퇴직하고 말년에 제2의 직업으로 성공하여 만족할 수 있다고 착각하면 안 된다.

지금은 상담 선생들 중에 젊은 층이 많고 고객들은 오히려 젊은 선생들을 더 선호하는 경우가 많다. 젊은 선생들은 인생 경험은 부족하지만 상담기법이 디테일 하고 모바일을 잘 활용하여 현실에 맞는 상담 방식을 잘 활용한다. 아무튼 앞으로 역술업을 목표로 준비하신 분들 이 글을 읽고 고민을 한번 해보시 길 바란다.

25장 역술인과 무속인의 차이점

역술인은 인간의 과거의 일과 현재의 상황과 다가올 미래를 예언해주고 조언하는 일을 하는 사람들로 학문적인 연구를 기초로 역술을 하는 사람이다. 무속인은 신의 소리를 직접 듣고 전하는 사람으로 일반인들이 보기에는 둘 다 점보는 점쟁이로 인식할 수 있지만 이 두 부류의 관계는 상담하는 방식의 차이가 완전히 다르다.

역술인은 학문을 하는 사람에 가까운 반면, 무속인은 신을 숭배하는 신앙인에 해당한다. 상담하는 방식 또한 다르다. 역술인은 주역, 명리학, 관상학, 풍수지리학 등의 음양오행 학문을 익혀서 한다. 역술의 기본인 사주팔자는 사람이 태어난 년(年), 월(月), 일(日), 시(時) 등의 사주(四柱)와 생년월일과 생시를 60갑자로 풀어낸 팔자(八字)로 인생을 풀이한다.

이에 비해 무속인은 자신이 모시고 있는 몸주신으로부터 느낌으로 오는 말을 상담자에게 전달해주고 비방을 말해주고 있다. 각자 그들 스스로 밝히고 있는 몸주신으로는 대부분 조상신으로 조상신을 모시는 역량에 따라 몸주신과 교감에 따라 사자(死者)

를 불러들이거나 미래에 대해 예언을 하는 것이다.

무속인도 두 종류로 나뉜다. 강신무와 세습무, 강신무(降神巫)는 내림굿을 통해 신을 몸에 받아들인 경우. 보통 한강 이북지역에 분포되어 있다고 분류되고 있다. 이와 달리 세습무(世襲巫)는 말 그대로 혈통을 따라 사제권이 대대로 계승되는 무당이다. 주로 영·호남 지역을 중심으로 하지만 요즘은 점차 사라지는 추세. 요즘에는 무속이 전통문화로 편입되면서 굿 만을 전담하는 학습무들이 생겨나고 있다.

그러나 아직도 많은 사람들은 역술인과 무속인을 동일시 취급하여 점을 보는 행위로 여기고 있다. 물론 큰 의미로서 운명을 파악하는 차원에서는 비슷할 수도 있지만 출발점이 다르다. 또한 무속의 기운을 가지고 역술을 하는 사람도 있지만 일반인들이 보기에는 이것을 구별하기가 힘들다. 조상신의 근기에 따라 무속인 중에서도 생년월일을 따져 역술인처럼 팔자를 분석하곤 한다.

그리고 역술인과 무속인의 차이점은 역술인은 평생 운세 파악하는 거시적인 관점이 강하고 무속인은 단기간 운세 파악하는 미시적인 관점이 강하지만 이 또한 각자의 역량에 따라 적중률은 천차만별이다. 무속인은 기도가 우선이고 역술인은 역학공부가 우선이지만 무속인이 역학공부를 깊게 들어가기에는 한계가 있고 역술인도 기도를 하여 신을 받기에는 한계가 있다. 그러나 요즘은 드물지만 동양오술학을 겸비하여 무속과 역학의 기운을 동시에 활용하는 도사들이 존재하는데 대부분 가짜가 판치는 세상이다.

26장 사주 십신론 어디까지 보아야 하는가

사주를 통변 하는데 가장 핵심적인 부분인 십신(十神.十性:10가지 성향)론이라는 것이 있다. 비견.겁재.식신.상관.편재.정재.편관.정관.편인.인수 10가지로 분류하는 것이다. 십신의 태과. 불급. 무 오행을 따져 기본성향과 심리분석 등 다양하게 유추해석을 한다. 그러나 이 십신이 어디서 나왔는가를 따져 보아야 한다.

일간을 기준으로 나머지 7글자 오행을 적용하여 일간과 같으면 비겁이고 일간이 생하면 식상이고 일간이 극하면 재성이고 일간을 극하면 관살이고 일간을 생해주면 인성이 되는 것이라는 것은 사주 기초 공부할 때 누구나 배우게 된다.

만약 甲木일간을 기준으로 비겁이 되면 甲부터 癸까지 甲+비견과 乙+겁재가 나온다. 丙火일간으로 비겁이 되면 丙+비견과 丁+겁재가 된다. 이처럼 똑같은 비견이라도 오행의 甲木이나 丙火이냐에 따라 달라진다. 지지도 마찬가지다. 일간에 따라 비견이 나오는 경우가 천간과 지지 오행을 합치면 20가지 비견이 나온다.

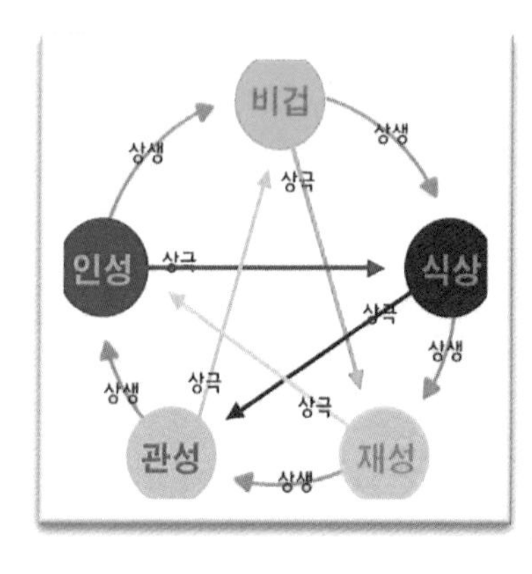

그런데 우리는 무슨 오행을 가진 십신인가를 따지지 않고 무조건 오행을 무시하고 십신의 유무만 가지고 따진다. 그만큼 경우의 수가 많아지고 복잡 해진다. 십신 이론이 나오기 전에는 천간 지지 오행의 특성과 생극으로만 파악했다. 지금도 비법서라고 알려진 자연 물상론을 보면 십신이라는 글자가 한 글자도 언급되어 있지 않다.

또한 일간도 송나라때 서자평 이후 일간 위주로 보았고 그 전에는 년주를 기준으로 보았다. 그래서 예전에는 일간과 년간을 기준으로 십신을 파악한 경우도 있다. 예를 들어 甲일간과 丁년간인 경우 올해 辛丑년이면 있으면 정관+정재, 편재+식신으로 구분하여 좀더 구체적으로 분석하였다.

필자는 이런 점을 좀더 고민을 많이 해왔는데 왜 우리는 일간을 고정된 기준으로만 파악하는가? 일주 이전에 년주를 기준으로 한 적이 있었다면 천간을 다 일간 기준으로 다 대입해야 더 이치에 맞고 논리적이다. 이것이 바로 입체적 통변이고 상대적 통변이다.심지어는 월지 격을 기준으로 하는 격상관이는 것이 있다. 예를 들어 巳火가 월지이고 격이라면 상관은 己土나 丑未土가 된다. 운에서 이런 상관오행운이 오면 정신적으로 갈등이 심하다고 통변하고 있다. 월지는 다른 지지의 몇배의 힘이 있는 천간처럼 동할 수 있는 존재라면 월간이나 시간도 안되는 법이 없지 않는가?

그리고 십신은 어디서 나왔는가? 오행에서 나왔고 천간오행이나 지지오행에 따라 또 다르고 어느 궁(위치)에서 표출하느냐에 따라 또 다르면 크게는 십신이 양이거나 음에 따라 또 달라진다. 십신 중에 식상이 강해도 식상을 생하는 비겁이 약하고 식상을 제어하는 인성이 강하고 또한 인성을 제어하는 재성이 약하다면 식상이 강하다고 할 수 있는가?

이런 십신오행을 다 분석하지 않고 비겁이 많아서 어쩌고 식상이 없어서 어쩌고 이런 단편적인 내용을 가지고 심리분석을 단순하게 하는 것도 문제이며, 또한 재생살. 관인상생. 식신제살 등 이런 구조를 가지고 있어도 편인인가 정인인가 따져가면 성향을 복잡하게 비교분석한다면 여기에 더 복잡하게 십신 오행의 특성이나 강약, 음양론까지 언급하면 누가 이렇게 힘들게 사주를 공부를 하겠는가?

식자우환이라는 말이 떠오른다. 요즈음은 정보 홍수 속에 오히려 너무 많이 분석하여 공부하는 것이 오히려 병이 되어 부작용이 생긴다. 실제 현업에 종사하시는 역술인 중에 이렇게 복잡하게 사주를 분석한 창의적 발상의 내용을 가지고 상담하시면 고객들에게 큰 호응을 받고 있는지 묻고 싶다. 앞으로 역술 창업을 계획하신 분들에게는 한번 크게 고민해보야 할 것이다.

결론은 다 자기 인연 따라 공부하는 것이 뭐가 좋다 나쁘다가 아니다. 이 사주공부는 어설프게 배워도 문제이고 너무 깊게 배워도 문제이다. 십신론을 가지고 사주분석을 할 수 있지만 사주팔자 구조분석 없이 무조건 십신 유무만 가지고 사주를 인식하게 되면 '선무당이 사람 잡는다'는 말을 하고 싶다. 오래전 아시는 분 중에 인성과 식상이 1개도 없는데도 말이 청산유수에 명문대 목사 출신에 지금은 모 민족종교단체에서 활동하신다. 이분 말씀하시기를 자기 사주는 안 맞는다고 하는 말이 기억난다.

27장 일간별로 년운과 월운 분석이 합당한가

사주가 자동차라고 한다면 대운은 도로이다. 사주팔자 주인공의 모습이라면 대운은 이 사람을 어떤 환경으로 이끌어 주는가를 10년 동안 알려주는 것이다. 대운은 사주의 부족 부분을 보충해주기도 하고 충극을 하기도 한다. 대운은 사주팔자 안에서 일어난 모든 작용들과 형충파해로 인한 육친의 희로애락과 쇠병사묘를 관장하고 지휘하는 역할을 한다.

사주에 있는 오행과 대운의 오행은 서로 오가며 생을 하거나 극을 하여 사주팔자의 길흉을 좌우한다. 타고난 사주팔자는 대운에 의해서 발동을 한다. 우리가 운이 좋다는 것은 엄밀히 따지면 대운의 흐름이 좋다는 것이다. 이 10년 대운속에 한해 들어오는 일년운이 있다. 일년운은 좋았다가 그 다음 해부터 실패하는 사람들을 볼 수 있는데 이것은 년운만 좋았지 대운은 크게 좋지 않아서 그런 것이다.
따라서 사주팔자 원국은 대운에 의해 발동하며 대운은 년운(세운)에게 명령 예고를 하는 것이다. 년운에서 집행이 이루어지며 월운에서 천간위주로 응기가 이루어지고 지지는 삼합(三合)이나 포태(胞胎)로 강약을 보는 것이다. 누구나 한해 들어오는 년운은 똑같다. 그러나 사주원국과 대운은 각각 다르다. 대운은 사주 월지에서 나오는 계절적인 개념으로 또다른 월주의 개념이다. 월지에는 월률분야 라는 천간의 기운이 해당 일수만큼 사령일수가 있다. 여기서 월률분야는 지장간과는 다른 개념이다. 이것을 구분하지 않고 그냥 지장간이라고도 한다.

그러면 월주에서 나온 대운 지지도 월률분야 여기 중기 정기를 적용시켜야 한다. 이런 것을 무시하고 10개의 일간을 대입하여 누구나 동일한 한해 년운속에 나오는 월운의 월률분야 사령기간을 따져 천간오행을 따지는 것은 이치에 맞지 않고 일간이나 일주와 년,월운만 대입하는 운세 이는 점술기법밖에 되지 않는다.

[예]

癸 辛

巳 丑

월 년

동정(動靜)의 개념을 안다면 辛丑년은 사주원국과 대운 어디에서 발동되는가를 따져 보고 사주팔자 8글자와 대운을 다 대입해서 올해는 어떤 문제가 발생하며 언제쯤 발생하는 시기는 월운을 참고하는 것이다. 그만큼 월운을 본다는 것이 종합적인 사주분석

없이는 어려운 것이다. 역술인에게는 최종적인 목표는 월운 통변을 잘하는 것이다.

누구나 나름대로 월 통변을 할 수 있다. 그러나 현실적으로 이게 얼마나 적중할 수 있는 것이며 1개월이라는 시차는 각자의 환경에 따라 하루 같을 수 있으며 일년 같을 수 있다. 그런데 지금 일간 별 월 운세 파악하는 천편일률적인 방송을 보고 있으면 꼭 예전 스포츠신문에 나오는 띠 별로 보는 운세풀이와 다를 것이 없다는 것을 느낀다. 정말 다 도사들처럼 운세풀이 하는 것을 보면 몇 십년 공부한 필자는 정상이 아닌 것처럼 느낀다.

결론적으로 본인들의 사주팔자와 대운을 적용하지 않고 무조건 일간이나 일주만 대입하여 년운과 월운을 대입하는 것은 이치에 맞지 않는다. 물론 이렇게 보아도 맞는 경우도 있지만 사주가 틀려도 결과가 비슷하게 나오는 경우도 있다는 것을 알아야 한다. 본인들 일간만 가지고 그저 월별로 보는 운세풀이에만 관심을 갖고 거기에 맞추려는 심리가 더 걱정스럽고 답답해 보이는데 왜 일간 별 월별 운세풀이가 천편일률적으로 대세를 이루는데 저런 식의 운세풀이가 인기를 끄는 것이라면 실제로 간단하게 프로그램을 만들 수 있다는 생각을 해본다.

28장 사주 통변 달인 되기 위한 10가지 팁

실전상담을 잘하기 위해서는 우선 처음에는 상담순서 매뉴얼이 중요하다. 상담 경험이 풍부해지고 사주 간명에 자신이 생기면 사주핵심 파악을 할 수 있으며 자유자재로 상담이 가능해진다.

1. 상담순서 메뉴얼을 작성한다. (예: 성격.직업.애정....)
2. 본인 수준에 맞게 운세 별 답안을 작성한다.
   (운세 별 프로그램)
3. 처음에는 간단하게 답안을 작성하고 점차적으로 확장 시켜 나간다.
4. 간명지에 상담 통변을 손으로 직접 기입하여 연습한다.
5. 간명지에 사주 명식만 보고 상담 통변을 녹음하여 연습을 한다.
6, 영상녹화를 하여 유튜브에 비공개 처리하여 자신의 모습과 음성을 모니터링하면 연습한다.
7. 운세 별 한 분야를 특화 시켜 홍보해야 한다.
   (예:합격운. 애정운 도사. 매매운 도사 등)
8. 일간 별 寅월~丑월생 120개 분류. 고객상담노트를 작성하여 고객 관리한다.

9. 연령별로 고객 질문 메뉴얼을 구체적으로 작성한다.
10. 역학이론을 평생 다 배울 수 없으니 본인 수준에 맞는 이론을 가지고 임상을 하여 비교.검증. 통계를 내어 확신 있게 상담해야 고객이 반응한다.

29장 젊은 시절 철학관 탐방 이야기

지금도 생각하면 20대는 끔찍하게 심적 갈등이 심한 시절이었다. 같은 또래의 친구들은 학교를 졸업하고 각자 전공이나 인연에 맞추어 취직을 하고 사회생활을 하는데 나는 백수시절로 보내고 있는 중에 집 근처에 철학관이 하나 있었는데 만철 철학원이라는 곳이었다. 늦게 철학을 하셨다고 만철이라는 아호를 쓰셨는데 연세 많으신 이분에게 개인지도를 부탁하니 저렴하게 해주겠다고 하시면서 공부를 시작했는데 알고 보니 혼자 독학으로 기본으로 사주와 육효점을 하면서 홀로 어렵게 사신 분이었다.

가족과 등진 채 혼자 외롭게 사셨는지 무척 저를 좋아해 주셨지만 사주공부는 효과가 별로 없었다. 이때만해도 지방에서는 사주학원이 없고 거의 개인사사로만 공부를 하는 시절이었다. 이때부터 철학관 간판만 보면 들어가서 상담 받는 요상한 취미가 생겼다. 어떤 날은 하루에 철학관 몇 군데를 들어간 적도 있었다. 점점 현실과 멀리 염세적인 운명의 수렁에 빠져가고 있었다.

그 당시 철학관에 가보면 사이비 철학원이 있었는데 개운의 방책으로 금전의 대가를 요구한다. 한번은 돌팔이 술사를 만나 고

통받는 조상천도 부적의 꼬임에 넘어가 50만원이 넘는 금액을 저에게 그 당시에는 거액이었지만 순수한 마음을 홀려 사기 당한적도 있었다.

지금도 광고를 보고 혹 해서 철학관에 가보면 부적이나 이름 개명이나 이상한 방책으로 개운할 수 있고 부자도 될 수 있다고 뻥을 치는 철학관이 주변에 있다. 일단 사주 공부는 뒷전이고 오로지 의지가 약한 손님들의 심리를 이용하여 돈을 밝히는 철학관이 주변에 의외로 많다.

그 당시 저 또한 상담 받는 손님 입장이기 때문에 미래의 희망적인 상담보다는 당장 눈으로 느낄 수 있고 공감할 수 있는 화려한 화술에 빠질 수밖에 없었다. 철학원에서 너무 좋은 말을 들으면서 한동안 착각속에 꿈을 키운 적도 있었고 열심히 노력도 했었다. 그렇지만 그것은 제 옷과 어울리지도 않았고 현실과 거리가 멀었고 결혼전까지는 철학관을 수십번을 넘게 다니는 취미생활이 되어 버렸고 사주공부에 관심이 많은 성향을 이용해 비법전수를 해주겠다고 대가를 바라는 별의별 사이비 술사도 만났다.

나의 20대 시절은 철학관에 다니면서 사주상담의 생리를 배웠고 30대 초반은 점집에 다니면서 무속인들의 생리를 알았고 30대 중반은 절(사찰)에서 불공을 드리면서 스님들의 생리를 알았고 불혹의 나이에 서울에 올라와 생각지 않는 대종교에서 세계종교를 공부하면서 81자 천부경을 처음으로 경험하였다. 지금 생각해보면 역술가가 되기 위해 순서대로 경험을 골고루 한 것 같다.

30년 전 철학관 상담요금이 소문난 곳은 1인당 3만원 이상이었고 나머지 1~2만원도 있었다. 지금은 사주카페가 많이 없어지고 사주타로샵들이 번화가에 밀집되어 있는데 상담 메뉴판을 보면 저렴하게 유도하면서 실제로 구체적 상담은 철학관 상담요금과 별 차이가 없다. 진지한 상담을 원하시면 여러 선생들이 모여서 정신없이 상담하는 곳보다는 개인적으로 조용하게 상담하는 곳에 가셔서 상담하는 것이 현명하다.
사주타로샵이 아닌 보통 철학관에서는 지역마다 약간의 차이는 있겠지만 싸게는 사주 1인당 2~3만원이고 철학관 대부분은 5

만원에서 10만원까지 있다. 서울 강남지역의 철학관들은 1인 상담요금이 10만원인 경우가 많다. 어떤 역술가는 1인당 상담요금이 1백만원도 있다고 들었는데 여기에 고도의 심리 상술이 들어있는데 일반손님은 받지 않겠다는 것이다.

어떤 손님이 철학관에 가서 30만원을 주고 상담을 받았는데 너무 실망을 하여 환불요청을 하였다고 한다. 그런데 역술가는 환불해 줄 수 없다고 하자 끝내 고소를 하였지만 판결 기각이 나왔는데 상담금액을 알고 상담을 받았다면 상담비용을 환불해 주어야 하는 법적인 근거가 없다는 것이다. 일반 손님들은 모든 역술인들을 신점을 보는 무속인들과 똑같은 입장으로 바라보고 있는 것 같다.

예전에 비해 실력이나 상담기법은 지금이 훨씬 수준이 높지만 상담비용은 그대로인 것 같습니다. 그 당시만 해도 한학 좀 하신 분들이 역학 책 1~2권 읽고 철학관 간판 거신분들 많이 있었다. 지금은 정보가 넘치는 모바일 시대에 살고 있는 세상에 과거 도사 칭호 받는 역술가의 실력보다 지금은 더 많은 역학실력을 요구하는 시대인지라 갈수록 이 역술업도 각 분야별로 전문화가 되어 가고 있다. 예전에는 철학원에서 관상. 수상. 풍수지리. 사주 등 모든 것을 총체적으로 다 상담을 했지만 앞으로는 지금보다 더 특화된 관상전문가. 손금전문가. 타로전문가. 풍수가. 사주상담가. 점성술사 등 한 분야만 깊게 연구해야 하는 운명예측 전문가(달인)의 시대가 오고 있다.

30장 여명쌤의 사주공부 이야기

일산에 정착한 이후 10년동안 끊임없이 공부에 대한 열망으로 선생. 비법 찾아 삼만리를 떠났다. 명학의 3대 보전이라고 하는 적천수. 자평진전. 궁통보감이 있다. 적천수는 억부용신을 자평진전은 격국용신을 궁통보감은 조후용신을 주로 보는 관법이다. 지금까지 억부위주인 적천수 학인들이 대부분이었다가 최근 수십년 사이에 격국위주의 자평진전 젊은 학인들에게 인기가 있었고 또한 오행의 생극의 개념을 벗어난 궁통보감이나 난강망. 물상론이 비법으로 유행하고 있었다.

서로들 자기들 간법에 정당성을 내세우면서 지금까지도 서로 포용하지 않고 있는 실정이다. 그러다가 최근 중국 맹파명리가 한국에 전파되어 더욱 더 초보 학인들의 공부에 대한 방향성에 혼란을 주고 있었다. 월지위주의 강약으로 보는 격국용신인 자평진전은 단순한 억부용신을 탈피하고 비교적 일관성과 체계적으로 성격과 파격의 개념으로 파악하는 간법인데 국내에선 박영창 선생이 처음으로 자평진전을 번역 출판하여 소개가 되었고 자평진전을 연구하는 학회에서 동영상 강의와 직접 서울까지 찾아가 수강하고 몇 년동안 임상과 토론을 하여 십신에 대한 구조파악과 사주보는 관점이 어느정도 체계가 잡혔지만 이 또한 운명예정설이라는 큰 틀을 벗어나지 못하고 단순한 억부용신을 탈피하여 운세대입 다양성의 기법 효과는 있지만 자평진전 대가란 분들의 운세 관법의 천간지지 오행 생극 강약 대입부분은 한계성이 있었다.

경기도 모 지역에서 사주강의를 하시는데 이 분은 직장생활을 하시면서 수 십년동안 사주공부를 하시면서 난강망(희귀본)이란 귀중한 책을 구입해 제자 사무실에서 강의를 하셨는데 시중에 알려진 조후로 보는 궁통보감과는 차이가 나는 내용이었다.

기존의 오행의 생극관계를 탈피하여 물상적 관점으로 파악하는 것으로 비법처럼 아끼면서 이 책을 절대로 복사를 해 주시지 않았고 또한 이원근 선생이 저술하신 사주하지장 2권을 강의를 하셨는데 저 또한 이 책에 들어있는 명조 2700명 이상의 명조를 직접 독수리 타법으로 입력하면서 공부를 하였는데 이 책도 억부용신을 한계성을 벗어나지 못하고 직접 실전에서 임상한 자료보다는 인터넷상 돌아다니는 명식자료가 많아 신뢰감이 많이 떨어졌다.

또 다른 몇 분의 선생들은 궁통보감을 무슨 비법처럼 비싼 수강료가 책정이 되어 강의를 하고 있었다. 시중에 출판되지 않는 자료를 구입해 공부해 왔다. 상담을 하는데 하나의 간법을 완성하여 상담을 하지 않고 다양한 간법의 호기심으로 만 10년이상을 수십명의 선생들을 찾아 뵙고 경험을 쌓아오다가 5년전부터는 자료정리를 하고 블로그를 만들어 하나씩 공개를 해서 사주공부에 관심이 있는 인연이 되신 분들을 위해 조금이나마 도움을 드리고 있다.

31장 비법 전수 점술공부에 대하여

2006년 서울 모 명리학회에서 일진래정법을 처음으로 배웠는데 그 당시만 하더라도 저에게는 엄청난 충격적인 간법이었다. 일명 족집게 간법인데 생년월일을 모르고도 당면문제를 알 수 있으며 지금까지 사주 명리와는 완전 다른 간법이고 빠른 시간안에 역술업으로 나가기 위해 공부가 부족한 학인들에게 상당히 인기가 있었다. 이것은 한마디로 사주로 보는 점술기법이다.

그날 일진에 따라 점을 치는 수법인데 적중하면 부채도사가 되는 것이고 틀리면 엉터리 상담이 되는데 이런 간법은 사주 초보 학인들에게는 독약이 될 수 있다. 사주 명리학의 정법을 무시하고 편법으로 쉽게 도사 반열에 올라가려는 심보가 결국 사이비 역술가로 가는 지름길이다. 그 당시 수강료도 천차만별이었는데 3개월 과정에 15만원부터 개인지도 1000만원 이상까지 있었다.

심지어는 어떤 역술인은 스승에게 15만원에 배워서 그대로 똑같은 내용을 고액 개인지도를 하다가 스승에게 혼난 적도 있었고 한때는 비법이라는 낙화비법. 마야비법. 이기론. 매화역수 . 00성명학 등이 있었는데 그 당시 직접 전화를 걸어 확인해보니

00비법 전수하는데 수강료가 1000만원이라고 하여 씁쓸한 웃음밖에 나오지 않았다.

과연 큰 돈을 투자하여 어느 정도 효과가 있을까 궁금하기도 했는데 주변에 이런 비법 강의에 중독이 되어 국내외를 돌아다니면서 큰 돈을 탕진한 학인들도 있었다. 이런 비법이 있다면 굳이 강의를 할 필요가 없고 비법 전수하는 도사님께서는 손님이 대거 밀려와 큰 돈을 벌 수 있는데 굳이 비법공개를 한다는 자체가 넌 센스이다. 지금도 이런 비법 고액강의가 있는데 절대로 흔들리지 마시길 바란다.

한국에서는 박일우선생의 낙화론(사계단법)이 있었고 그 제자가 쉽게 변형을 해서 일진법을 강의하였고 또 그 제자가 약간 변형을 해서 귀장술을 소개하였고 생년(띠)과 당 일진 사주를 대입하여 현재상황을 점치는 래정법이 있을 즈음에 대만에서는 곽목량 선생의 오주괘가 낭월스님의 출판으로 국내에 소개되어 당일 생년월일시를 대입하여 점을 치는 팔자괘(사주점)가 유행하였다.

이 사주점은 기본 사주 명리 실력이 갖추어진 학인들이 응용할 수 있는 점술기법이다. 초 중급 학인들은 응용하기가 어렵다. 역술업을 하기 위해서는 사주 명리와 한가지의 점술과 성명학을 비로소 갖추어야 제대로 개업을 할 수 있다고 한다. 그런데 요즈음 역학프로그램이 잘 만들어져 있어 프로그램을 활용하는 역술인이 많다. 이 또한 초 중급 학인들은 역학프로그램을 경계해야 한다.

프로그램에 의지하게 되면 역학공부 하는데 소홀해질 수 있다고 생각한다. 일진래정법 등 여러 가지 점술도 프로그램화 되어 있다. 문제는 얼마나 적중 시킬 수 있느냐 문제이다. 그것은 배우는 학인들마다 자신의 영기에 따라 효과가 다 다르다. 점술공부는 비법이 없다. 타로도 점술인데 이것도 무슨 비법 타로 강의한다고 난리법석이다. 점술영역은 무조건 순수한 믿음이 강하고 신에 의지하는 기운이 있어야 효과를 보는데 이것도 일시적이다.

결국 점술은 단거리 육상이고 학문은 마라톤이다. 역학자는 단순히 점을 치는 자가 아니라 도학자라는 것을 명심하시길 바란다. 현실은 목구멍이 포도청이라 어쩔 수 없이 인정받지 못한 간판을 걸고 역술업에 종사하지만 이 직업은 아무나 끝까지 할 수 있는 직업이 아니다. 당장 혹하는 점술에 현혹되어 조급하게 생각하지 마시고 꾸준히 학문적인 자세로 역학공부에 매진하시길 간곡히 부탁드린다.

32장 제도권으로 정착하기 위한 현대 심리사주학

두 남녀가 사무실에 내방하였는데 언뜻 보기에 나이가 있어 부부사이로 보였다. 연인관계라면 분명 커플궁합을 보아야 하는데 남자만 사주상담신청을 하였는데 이런 상담은 현재 직업을 물어보아야 하는데 왜냐하면 직업에 따라 운세 통변이 달라지기 때문이다. 까다로운 손님은 현재 상황을 처음부터 알아 맞출 수 있는가 표정의 눈빛을 보낸다.

이것을 적중하면 그 다음 상담 자세가 달라지고 수월하게 상담 분위기를 압도할 수 있다. 그래서 고객이 무엇 때문에 지금 방문하였는지를 파악하는 사주 래정법이라는 점술의 형태로 여러가지가 있는데 그날 일진과 오는 시간에 따라 일종의 사주점을 치는 것이다. 일진내정법. 낙화비법. 팔자괘 등 사주이론을 활용하여 점을 치는 한마디로 족집게 도사 간법이다. 이 관법을 통달하기 위해서는 사주보는 실력이 어느 정도 수준이 있어야 이해할 수 있고 활용할 수 있다.

상담내담자(고객)입장에서는 타고난 사주로 인간의 운명을 모든 것을 파악할 수 있다는 심리를 가지고 용하다는 철학원을 찾아 헤매고 다닌다. 역술가들도 두가지 부류가 있는데 점술의 관법을 응용을 하지 않고 오로지 사주를 깊게 공부하여 터득하면 알 수 있다는 부류와 타고난 사주와 순간 변화의 점술을 활용하여 상담에 부족한 부분을 응용하는 부류가 있다.

이 모든 공통점은 상담 내담자 입장에서 보기에는 타고난 사주가 정해져 있어 미래의 궁금증을 증폭시켜 인간사 모든 영역을 사주팔자로 분석할 수 있다는 논리에 맹신할 수 있다는 것이다. 차라리 역술가들이 사주라는 타고난 명이라는 영역과 변화성이 다양한 점술영역을 분리하여 이해할 수 있도록 고객들에게 인지를 시켜주고 상담을 해 왔다면 진정한 철학관이라 할 수 있는데 점술영역인 무속인과 경쟁해야 한다는 강박관념이 강해서 그런 것인지 사주 명리학이 점술 명리학으로 근대부터 현대에 이르러 일반인들에게 뿌리깊게 자리 잡혀 왔다.

중국이나 일본은 우리보다 더 복잡하게 점술 명리학 쪽으로 빠져있는 와중에서도 대만에서 하건충(고인)이라는 역학자가 현대심리학과 명리학을 접목을 시켜 현대심리사주를 연구를 시작하였고 현재 중국의 수많은 깨어 있는 역학자들이 고전의 사주간법을 벗어나 한층 더 진보된 현대심리사주를 연구하고 있다고 하는데 우리는 아직까지도 고전 사주의 틀에서 벗어나지 못하고 급속도로 다변화하는 시대에 어울리지 않는 상담법으로 고객들에게 인정을 받지 못해 점점 철학관 간판들은 없어져 가고 있는 추세이고 오히려 혹세무민을 하는 경우가 많은 점술영역인 무속인들에게 밀리고 있는 현실이다.

사주 상담이라는 이 직업이 사회에서나 사랑하는 가족들에게도 떳떳한 직업으로서 인정을 받지 못하는 이 현실이 가슴이 너무 아프고 답답하다. 다행히 예전보다는 사주 명리학을 가르치는 대학들이 많이 생기고 평생교육원도 많이 생겨 취미나 업으로서 공부를 하시는 분들이 많이 배출은 되지만 가르치시는 선생들의 마인드가 바뀌지 않고 기존의 틀을 벗어나지 못하는 강의가 연속 유지되면 결국은 사회가 인식하는 사주 명리학은 일종의 점술의 형태로 간주하고 법으로 인정되는 제도권으로 갈수 있는 희망은 요원하기만 할 것이다.
이제부터라도 현대심리사주를 연구하고 싶고 진정 인간의 행복과 삶의 질을 영위할 수 있도록 타고난 사주로 심리와 운세를 분석하여 올바른 힐링 상담이 이 사회에 정착할 수 있기 위해서는 협회와 조직과 교육이 체계적으로 형성이 되어 기존 상담과는 차원이 다르게 차별화. 체계화. 대중화를 시킬 수 있는 인터넷과 방송매체를 통한 마케팅 전략과 홍보를 통하여 사주 명리학의 개념이라도 젊은 세대들에게 확고하게 인식을 전환시켜 줄 수 있다면 앞으로 한 세대 정도만 지나가면 "사주 명리학"이 제도권으로 갈 수 있는 희망이 보이고 앞으로 미래의 비전 있는 직업상담사로서 큰 역할을 담당하게 될 것이다.

★ 현대 심리사주학의 특징

1. 운명예정설을 지향하는 기존 사주학의 개념과 출발부터 다르다. 심리사주로 알 수 있는 것은 타고난 기질과 운의 흐름을 파악하는 것이다.

2. 부귀빈천 팔자를 논하는 기존 사주학을 배제하고 동일 사주는 각자 살아가는 환경과 교육에 따라 다른 삶을 살아가고 운세 흐름의 유형이 같을 뿐이고 살아가는 환경에 따라서 우열이 생긴다.

3. 복잡다단한 이론을 배제하고(형충파해.공망.십이신살.십이운성.살.귀인) 음양오행의 상생상극. 심리적 특성과 천간지지. 십성의 특성과 심리적 구조를 심도 있게 분석한다.
4. 가족관계는 서로 각자의 명조를 보고 서로 심리적인 부분을

분석하여 관계 역할을 제시하고 한 명조를 보고 가족관계의 인연과 덕의 유무를 파악하지 않는다.

5. 합충이나 신살. 부족한 오행을 서로 채우는 기존 궁합방식을 탈피하여 심리 궁합은 서로 심리적인 요소를 적용하고 배우자궁의 십성을 분석하여 문제의 원인과 해답을 명확하게 제시한다.

6. 심리사주학은 타고난 사주와 다양한 심리구조의 유형을 설명하는 심리학을 접목하여 출발하기 때문에 기존 사주이론과는 목표와 방향이 다르게 전개된다.

7. 심리사주학은 점술사주학의 요소를 탈피하여 현대화를 시도하여 누구나 실생활에 적용하여 생활사주학으로 발전시킨다.

8. 기존 사주학은 복잡하고 일관성 없는 상담기법으로 점술형태로 가지만 심리사주학은 일관성 있는 표준화로 사회생활 여러 분야에 유용하게 활용할 수 있는 학문으로 발전시켜 나갈 수 있다.

33장 내 사주팔자에 자식복이 있습니까?

철학관에 가서 상담 중에 당신은 현재 남편복은 없으나 자식복(덕)이 있어 말년에 좋다는 이야기를 들으면서 위로를 받는 여성 고객이 종종 있다. 자기 사주를 보면서 부모. 형제. 배우자. 자식 등 육친과의 관계를 설명하면서 인연의 덕을 언급한다. 과연 내 사주팔자속에 이러한 육친과의 인연이나 복이 정해져 있을까? 기본적으로 용신(사주에 필요한 기운)오행을 따져 육친(십신)이 나에게 필요한 기운이면 육친관계가 좋고 그렇지 않으면 흉하다고 판단하는 등 여러 가지 이론을 적용하여 판단한다.

만약 내 사주팔자속에 자식복이 있거나 자식 성공할 수 있는 복덕이 강하다면 예전 다자녀 시절에는 자녀 모두가 다 잘 살아야 한다는 전제조건이 생기는데 잘 사는 자식이 있을 수도 있고 가난한 자식도 있을 수도 있고 효자나 불효자식도 있을 수 있는데 자식복이 있다면 과연 자식들이 다 잘 살고 효도하는 자식이었을까? 자식 팔자는 자식 사주로 보아야 하고, 부모 팔자는 부모 사주로 보아야 하고, 배우자 팔자는 배우자 사주로 각자 자기 사주로 보아야 정확하다는 것이 논리가 맞다. 이런 단순하고 상식적인 내용을 가지고 내 팔자 속에서 필요 이상으로 육친관계를 다양하게 예측하려는 분석이 오히려 올바르지 못하고 부정적 선입관을 가질 수 있는 상담법이 될 수 있다.

타고난 사주를 보고 나에게 조상복이 없다고 하면 조상에 대한 마음이, 부모복이 없다고 하면 부모에 대한 마음이, 배우자복이 없다고 하면 배우자에 대한 마음이, 자식복이 없다고 하면 자식에 대한 마음이, 이런 육친에 대한 관계를 온전하게 생각을 할 수 있을까? 예전에 젊은 부부가 자식이 생기지 않아 부부 사주를 보고 자식 인연을 상담하러 온 적이 있었다. 물론 부부 사주를 보고 자식에 관해서 어느 정도 예측할 수는 있다. 하지만 절대적으로 정해진 것은 없고 지금 현실은 의료시술이 좋아 상황에 따라 얼마든지 자식 생산할 수도 있다.

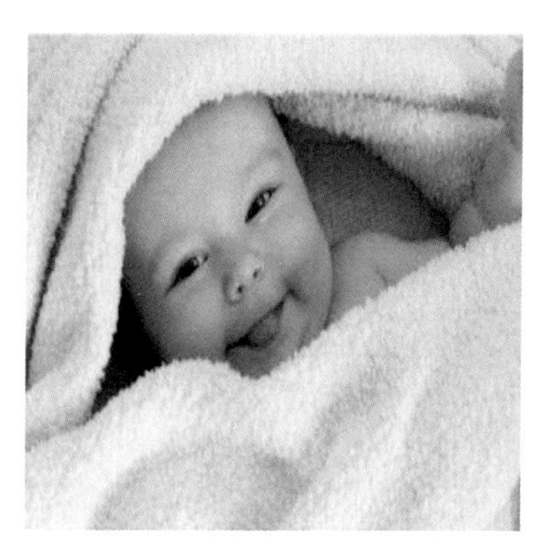

단순히 사주만 보고 자식유무. 자식 사고 질병. 자식 성공 불행 등을 함부로 논하고 예측하는데 이런 상담은 결과적으로 어떤 방책을 원하고 개운비법을 찾아 비용을 요구하는 혹세무민 할 수 있

는 사이비에게 빠질 수 있는 전형적인 상담이다. 어떤 사이비 술사의 광고문구에 보면 "지금까지 어디를 가서 상담을 해도 시원하게 답을 얻지 못하고 답답한 여러분께 확실하게 제가 해결할 수 있는 해답이 있다"고 하면서 무슨 개운비법이 있는 것처럼 강하게 암시를 주는 멘트를 하는 사이비 술사의 문구를 보면서 과연 일반인들은 어떤 느낌을 받을까 생각해 본다.

이런 사이비 광고는 신기로 보는 무속인도 아니고 인생의 이치를 설명하고 조언하는 사주 명리상담가도 아닌 사기성의 사이비 술사로 오로지 돈만이 목적이기 때문에 확실하게 개운 해준다는 유혹의 사슬로 한순간에 홀리듯이 마음을 묶어 버릴 수 있다. 인생의 이치를 탐구하고 올바르게 조언해줄 수 있는 철학관이라는 좋은 의미가 이런 사이비들의 전용물이 되어 퇴색되어 가는 느낌이다. 앞으로 지금까지 잘못 인식된 사주에 관한 기초상식을 바르게 인식한다면 이런 상식을 벗어나는 사이비 상담에 현혹되지 않는 정확한 판단력이 생기는 안목을 가지게 될 것이다.

34장 궁합에 대한 올바른 인식

두 남녀가 연애를 할 때나 아니면 결혼을 염두에 두고 사귈 때 연인이나 양가 부모가 결혼 전에 궁합을 보러 철학관에 오는 경우가 많다. 본래 궁합의 의미는 두 사람 사주팔자 년월일시에 나타난 서로 간의 합의 관계를 따진다. 그래서 예전에는 띠를 보고 겉궁합을 따졌고 속궁합은 태어난 일이나 기타 조건들을 따져 보았다. 따라서 4살차이 띠는 궁합을 보지도 않고 결혼해도 좋다고 하였는데 보통 4살 차이 띠와는 삼합(三合)의 관계로 이루어져 있어 그러하다.

그렇지만 궁합은 그렇게 간단히 두 사람의 띠로 보거나 합을 따져 보는 것은 올바른 궁합법이 아니고 옛날 이조 시대에 문자를 모르는 서민층들이 즐겨 사용하는 궁합법이라는 것을 알아야 한다. 그 당시 지식층인 양반들은 궁합 보는 것이 서민층들과 조금 다르게 보았고 또한 요즘 현대에 들어와서는 기존의 궁합법은 현실에 맞지 않는 모순점이 많다.
옛날에는 남존여비사상이 강하여 여자는 무조건 현모양처 같은 타입에 남자보다는 약해야 하고 가정 살림을 우선으로 하는 여자를 최고의 신부감으로 삼았지만 현실적으로 이렇게 적용하면 맞지 않는 경우가 많다. 서로 궁합을 보기전에 각자의 사주팔자를 완벽히 분석을 할 수 있는 능력이 있어야 궁합분석이 가능하기 때문에 궁합을 제대로 볼 수 있으려면 개인의 사주분석이 우선적으로 선행되어야 한다.

그리고 사주 궁합을 떠나서 각자의 살아온 주변환경이나 조건들이 서로 비슷하지 않고 너무 차이가 나도 궁합이 좋다고 볼 수 없으며 또한 두 사람의 관계가 너무 좋아 죽고 못사는데 단지 사주쟁이가 사주 궁합이 안 좋다고 해서 양가 부모가 반대를 하는 경우도 올바른 판단이 아니기 때문에 이런 경우는 궁합을 함부로 보아서는 안된다.

지금까지 궁합은 인연론을 강하게 어필하면서 내 사주팔자속에 배우자가 선천적으로 정해져 있으니 좀 더 후천적으로 궁합을 따져서 나에게 부족한 기운을 채울 수 있는 상대를 만나면 잘 살 수 있고 복을 받을 수 있다는 논리이다. 이런 논리는 역으로본다면 상대를 잘 못 만나면 오히려 내가 해를 입어 인생을 망칠 수 있다는 논리도 된다. 사고. 질병이나 부도 등으로 자식을 잃은 부모 중에 며느리가 집안에 잘 못 들어와 아들을 잡아먹었다는 이야기를 종종 주변에서 듣는 경우가 있다.

과연 그럴까? 지금까지 이런 상담으로 무속인이나 역술인들이 올바르지 못한 궁합 상담을 해오고 있었다. 만약 궁합이 찰떡궁합이고 배우자복이 있다는 팔자가 결혼해서 사고나 질병 등으로 자식이 사망했다면 이런 경우는 어떻게 설명할 수 있을까? 생사 문제나 경제력 등의 문제점을 상대 배우자의 책임이 크다고 따지기 전에 당사자인 내 책임이 우선이라는 것을 인지해야 한다. 모든 것을 내 탓으로 돌리지 않고 상대의 탓으로 돌리는 잘못된 욕심을 고쳐야 합니다.

차라리 내 자식이 결혼해서 건강해지기를 원하면 결혼 후에 건강관리에 더 신경 써야 하고 경제력이 좋아지고 싶은 욕심이 있으면 능력 있는 며느리를 선택하는 것이 더 현명할 것이다. 궁합을 통해 상대 배우자에 의해 모든 것이 좋아지고 나빠진다는 선입관을 버려야 한다. 예전에는 일방적으로 남편 위주의 부부관계로 아내의 역할은 희생과 포용으로 인내하는 부부생활이 대부분이었기 때문에 솔직히 궁합의 의미가 무슨 필요가 있었겠는 가? 궁합이 안 좋아도 자식을 위해서 평생 살아야 하는 여자의 희생을 강요하는 사회 분위기였다. 지금은 남녀평등을 강조하고 결혼 후에도 여성들의 사회진출이 활성화되어 있는 사회에서 궁합이 더 필요성을 느낄 수 있는 현실이다.

왜냐하면 부부간에 갈등이 유발하면 소통해서 화해보다는 오히려 이혼율이 높아 돌싱남녀가 넘치는 사회가 되어 버려 결혼 전에 궁합을 보아 자신들의 팔자 속에 배우자를 향한 심리상태를 파악하고 갈등이 오기 전에 상대를 이해와 포용하고 노력하는 자세가 우선적으로 중요하기 때문에 이미 갈등상태가 고조가 되어 버린 후에는 소통하기가 매우 어렵다.

현대 부부간의 갈등요소는 복잡하고 다양한 원인이 있겠지만 개인주의 사회가 강한 요즘 부부생활은 너무 쉽게 결정하고 판단하는 경우가 많다. 어쩔 수 없이 이혼할 수밖에 없는 상황도 있지만 정말 무책임하게 너무 쉽게 가정 파탄을 내는 경우가 많아 우리가 궁합에 대한 인식을 다시 한번 재고할 필요가 있고 궁합에 대한 잘못된 인식에서 벗어나야 한다.

35장 올해 삼재운이라 이렇게 힘든가요?

사주 상담 고객들은 흔히 삼재 이야기를 종종 하곤 한다. 올해 삼재가 들어와 너무 힘들다고 하소연한다. 어느 철학관이나 무속인. 절을 운영하신 일부 스님들은 삼재가 들어왔으니 삼재 살풀이를 해야 한다고 부적이나 간단하게 치성을 들어야 한다고 권유한다.

예전부터 삼재(三災)라는 용어는 일반 서민들에게 많이 알려져 있었다. 삼재는 인간에게 9년 주기로 돌아온다는 3가지 재난을 의미한다. 종류를 보면 도병재(刀兵災)는 연장이나 무기로 입는 재난, 역려재(疫癘災)는 전염병에 걸리는 재난, 기근재(飢饉災)는 굶주리는 재난이 있습니다. 또 대삼재(大三災)라 하여 불의 재난(火災), 바람의 재난(風災), 물의재난(水災)을 말하기도 한다.

9년 주기로 들어온 이 삼재는 3년 동안 머무르게 되는데 그 첫 해가 들삼재, 둘째 해가 묵삼재(또는 눌삼재), 셋째 해가 날삼재가 되어 그 재난의 정도가 점점 희박 해진다고 한다. 그래서 첫 번째 해인 들삼재를 매우 겁내고 조심하는 풍습이 있었다. 그 대책을 살펴보면 첫째가 매사를 조심하는 방법이요, 두 번째는 부적(符籍)이나 양법(良法)을 행하여 예방하는 방법을 썼다.

사·유·축(巳·酉·丑)생은 삼재가 해(亥)년에 들어와 축(丑)년에 나가고 신·자·진(申·子·辰)생은 인(寅)년에 들어와 진(辰)년에 나가고 해·묘·미(亥·卯·未)생은 사(巳)년에 들어와 미(未)년에 나가며 인·오·술(寅·午·戌)생은 신(申)년에 들어와서 술(戌)년에 나간다. 따라서 12개의 띠 중 누구나 3명은 삼재가 들어온다. 대한민국 4분의 1이니 3년 동안 1300만명이 삼재에 해당된다. 옛날에는 사고와 질병이 많았고, 인구도 적었고, 신에게 의지하여 예방하는 풍습이 있었다. 지금 이 현실에 살풀이 예방을 적용하는 것이 얼마나 타당성이 있을지 의문이다. 살풀이 예방법은 주로 무속적인 기법이다.

그리고 사주 명리학은 띠로만 보는 학문이 아니고 무속적인 살풀이와는 관련이 없다. 일부 철학관에서는 살풀이 부적 처방을 권하고 있지만 사주 명리학은 음양오행의 근거로 간지학으로 상담하는 철학관에서는 삼재 이야기를 중요시한다는 자체가 모순적이다.

지금은 예전보다는 덜 하지만 사주에 무슨 살이 있어 팔자가 세다. 도화살이 있어 색정이 강하다. 원진살이 있어 서로 미워한다. 귀문관살이 있어 신기가 있다. 백호살이 있어 사고수가 있다. 과부살이 있어 이별수가 있다는 등의 흉한 작용으로만 이야기하곤 한다. 누구나 사주팔자속에 살을 대입하다 보면 살은 누구나 다 있다.

현대 사주 명리학은 음양오행과 십신을 대입하여 강약과 특성으로 균형을 보고 운의 흐름을 참고한다. 신법 사주학에 구법 사주학의 살을 대입하여 복잡하게 만들어 버렸고 살풀이 수단으로 전략하여 혹세무민 하는 상담을 하고 있는 것이다. 굳이 살을 대입해보면 살의 작용속에서도 긍정적인 면과 부정적인 면의 양면성을 다 갖추고 있다.

36장 타고난 운명은 정해져 있지 않나요?

타고난 사주팔자를 본다는 것은 정해진 운명에 순응하는 것이 아니다. 각자 타고난 운명을 활용하여 본인의 삶을 윤택하게 갈 수 있도록 방향을 설정하고 인생을 바라보는 폭넓은 시각을 갖추는 것이 사주팔자를 보는 목적이다. 타고난 생년월일시로 운명을 예측하는 방법이 여러가지가 있는데 부귀빈천이 정해졌다는 운명 예정설을 믿으시면 상담 받을 의미가 없다고 생각한다. 운명이 정해졌다고 하면서 피흉추길을 하기 위해 상담 받아야 한다고 외치면 무슨 의미가 있겠는가?

똑같은 동일 사주도 어떤 환경에서 노력과 어떤 인연을 맺고 사는가에 따라 살아가는 형태는 서로 다르다는 것을 알아야 한다. 쌍둥이 뿐만 아니라 생년월일시(사주팔자)가 꼭 같은 사람들도 많다. 그들 역시 전혀 다른 삶을 살고 있다. 직업도 다르고 결혼유무나 시기. 빈부차이 등 동일하지 않다. 사주팔자가 이미 정해져 있다고 보는 것이 운명 예정설이다. 물론 신의 영역적인 차원에서 보면 사주 명리학 접근이 아닌 또 다른 인간의 운명을 감지하는 고차원적인 접근 방식이 있을 수 있다.

흔히 우리들이 인식하는 천기누설(天機漏洩)이라는 표현을 자주 접한다. 이 어감의 표현은 하늘의 비밀이 새어 나간다는 뜻으로 천기를 인간세상으로 밝히면 안된다는 것이다. 자신의 운명이 정해졌다고 확신한다면 각각의 희비는 다를 것이다. 타고난 팔자복이 없으니 현재의 삶을 과연 순응하고 만족하면서 살아가고 있을지 의문스럽다.

또 다른 사람은 숙명은 정해졌으나 운명은 피흉추길 할 수 있으니 사주팔자 길흉운세를 반드시 참고해야 한다고 한다. 또 어떤 이는 타고난 사주팔자를 후천적으로 개운하는 비법이 있다고 한다. 참으로 타고난 사주팔자를 바라보는 인식은 각양각색이다. 심오한 운명에 대한 관찰은 사주팔자 생년월일시로만 보는 것이 아니라는 것을 먼저 인식하고 과거 현재 미래의 시공간적 이해와 관찰이 우선 필요하다.

현재 사주공부방식은 거의 95% 이상 점술 명리학이고 대부분 책들도 이 범주를 벗어나지 못한다. 물론 사주 명조를 보고 예측하는 다양한 이론이 모두 점술이라고 볼 수는 없다. 문제는 이 다양하게 예측하는 이론이 현실과 너무 차이가 나고 과거와 현재 상황을 언급하여 적중 시켜 용하다는 도사의 인식은 결국 일반인들이 느끼기에는 사주 명리학은 학문이라는 개념이 아니라 점술이라는 개념이 강해져 무속적인 점술영역과 동일시한다는 것이 지배적이라는 것이 저의 견해이다.

여명(필자) 또한 점술 명리학에 빠져 어떤 학인 못지않게 수많은 선생과 자료를 찾아 헤매었고 제 머리로는 한계점에 도달해 심지어는 기도가 무엇인지도 모르고 과거 도사들이 수행했던 산기도까지 영감을 얻기 위해서 처자식을 저버리고 100일 기도를 계획했지만 지금에 와서야 이 모든 게 정도가 아닌 사술이라는 욕망에 사로잡힌 공부였다고 이 또한 스스로 알게 되었다.

사주 명리학 입문할 때부터 타고난 격에 따라 부귀빈천이 정해져 있고 나의 사주팔자 속에 모든 인생사가 결정되었다고 생각하고 오랫동안 공부해 왔었다. 모든 인생사가 결정되었다면 운명을 알 필요도 없고 순응하면서 사는 것이 정답이다. 어떤 역학인은 동일한 팔자는 비슷한 운명을 살고 있고 각자 환경에 따라 다르지만 큰 범주는 벗어 날 수 없다고 주장하면서 몇 가지 사례를 들면서 동일한 팔자도 각자의 환경에 따라 다르지만 비슷한 운명을 산다는 것을 강조하는데 무엇이 비슷한 운명인지 구분이 안 간다. 운명을 바라보는 개념부터 우리는 고민을 해 보아야 한다.

격국이 성격(成格)이 되지 않고 완전 파격(破格)에 편중되어 있거나 미약해도 금 수저로 살아가는 경우도 있고 흙 수저로 살아가는 경우도 있다 이것은 비슷한 운명이 아니다. 타고난 사주팔자로 인생사 다 알 수 있다는 자체가 어불성설이다.

특히 육친관계를 볼 때 마치 내 팔자속에 인덕. 부모형제덕. 배우자덕. 자식 덕 등 유무를 파악한다. 만약 내 팔자에 자식덕이 있다면 예전에는 자식이 많이 있을 때라면 모든 자식이 효도를 해야 한다. 그렇다면 좋겠지만 반대로 내 팔자에 자식덕이 없다고 하면 모든 자식이 다 불효를 해야 하나 그렇지 않다고 본다. 이 모든 육친관계를 내 팔자속에서만 찾으려는 형태는 사주 명리학이 아니고 점술영역이라고 생각한다.

결국 이런 상담은 부정적인 관계를 조성하는데 선입견을 갖는 경우가 대부분이다. 동일한 팔자도 부모. 배우자 등 사주팔자가 서로 다르다. 당연히 상대의 사주팔자를 보지 않고 내 팔자속에서 안다는 것이 바로 점술 영역이고 운명예정설을 인식하는 결정적인 원인이 된다.
문점 내담자(고객)입장에서는 답답한 현재 고민을 풀 수 있는 사이다 상담을 원한다. 그런 상담은 현재 순간적 변화의 예측성을 적중 시켜 줄 수 있는 점술영역이 압도적이다. 예를 들어 지금 집이나 건물이 매매가 되겠는가. 몇일안에 돈이 들어오겠는가? 이번에 합격하겠는가? 그 사람은 나에게 어떤 마음을 갖고 있는가 등 이런 상담은 모두 점술영역이다.

사주를 보지 않아도 질문에 따라 점을 쳐서 현재 상황과 미래상황을 예측하는 것이다. 일반 손님들은 사주로도 다 알 수 있다. 생각하고 용하다는 사주쟁이를 찾아 헤매고 또한 사주 상담은 시원하지 않으니 사주 명리학 보다는 족집게 상담을 바라는 무속인들에게 매달린 경우가 현재 우리 사회에 점집을 선호하는 경우가 더 많다.
그런데 점집에서도 사주를 본다고 하니 일반인들은 똑같이 생각할 수 있는 것이다. 점집은 모신 신의 역량에 따라 대부분 신기로 보는 곳이지 사주팔자로 보는 것이 아니다. 물론 사주와 신기를 병행하신 분들도 있다. 따라서 사주 명리학이 점술 명리학으로 지금까지 무슨 차이가 있는지 뭐가 다른 지 궁금할 수 있을 것이다.

37장 적성을 알아야 진학.애정.직업을 알 수 있다

부모들이 자녀들에게 학생 진로적성상담을 참고하여 유아때부터 아이의 타고난 성향을 관찰하여 적성을 분석하면서 아이들에게 만족할만한 진로선택을 결정하면 청소년 시기에 각자 공부역량에 따라 진학에 많은 도움을 줄 수 있고 또한 한 가정에 부모자식 간에 소통할 수 있는 가정으로 교육이 이루어 질 수 있다고 확신한다.

기존 철학관 상담에서는 진학문제만 언급하지 어릴 적 진로적성파악을 상세하게 상담하신 분들이 드물고 다행히 요즘 심리상담 사주로 상담하신 분들이 늘어가고 있는 추세이고 멀지 않아 사주상담이 동양의 심리학으로 인식할 수 있는 날이 올 것이다.

현재 대부분 학교에서나 심리센터에서 서양심리학 MBTI 적성검사 등 다양한 심리검사를 하지만 학생 진로적성분석을 사주 명리학으로 분석하는 경우의 수는 서양심리학보다는 타의 추종을

불허한다. 심지어는 서양심리학으로 알 수 없는 타고난 운세의 흐름으로 자기의 그릇을 알 수 있다.

그리고 남녀가 만나 연애를 하고 결혼을 하여 자식 낳고 잘 살다가 부부간에 갈등이 와서 문제가 생길 때 대부분 철학관에 가서 고민 상담을 한다. 궁합이 안 맞아서 이렇게 산다는 등 인연론을 내세우면서 일부 사이비 술사들은 이름이나 부적 등 각종 방책을 활용하여 현재 고민을 해결할 수 있다고 유혹한다.

궁합은 꼭 남녀궁합만 해당 사항이 아니고 모든 서로 상대와의 관계가 궁합이라고 생각하는 것이 현명하다. 지금도 겉 궁합. 속 궁합 따져가면서 인연론을 내세우지만 우선 자기 사주와 배우자 사주에 나타난 각자 성향을 살피면서 소통할 수 있는 구조인지 아니면 각자 마인드를 바꾸는 상태를 조성해야 하는지 아니면 최종적으로 결과에 대한 선택은 본인들이 결정을 해야지 역술인들이 선택해 주어서는 안된다.

궁합으로 길흉을 논하는 것보다는 서로 갈등이 왔을 때 어떻게 소통을 해서 가정 위기를 극복할 수 있는 대안을 조언해주는 것이 진정한 궁합 상담인 것이다. 그만큼 결혼전에 궁합을 보고 상대를 바라보는 시각이 중요하고 제대로 궁합을 보고 서로의 장단점을 파악하는 현명한 지혜가 화목한 가정을 유지하게 되는데 잘 살다가 갈등이 심하게 왔을 때는 그만큼 소통하기가 어려워질 수 있다. 그래서 결혼 전에는 연애운보다 궁합을 더 신중하게 보아야 하는데 대부분은 궁합보다는 현재 애정관계에만 더 중요시하는 것 같다.

살다 보면 언제쯤 지긋지긋한 직장생활 그만두고 사업할 수 있을까 생각하신 분들이 있을 것이다. 타고난 사주 구조의 특징을 보면 직장 생활을 잘 할 수 있는지 사업가 스타일인지 아니면 모

두 잘 할 수 있는 기질을 가지고 있는지 다 파악을 할 수 있다. 주변에 능력을 갖추고 준비를 철저히 갖추고 노력을 해도 사업실패 하신분들도 있을 수 있고 전혀 능력이 없어도 주변 도움으로 승승장구하신 분들도 있을 것이다.

일단 사업가는 타고난 사주에 주체성과 역경을 극복할 수 있는 기질이 강해야 하고 운이 충분히 뒷받침되어 준다면 성공할 수 있다. 직장인은 조직에 충실하게 수행하면서 자기희생이 따르고 운까지 받쳐준다면 어느 정도 직위까지 보장이 될 것이다.

그렇지만 운세의 강약을 파악하는 것이 그렇게 쉽지만 않다. 저 또한 운세의 희기를 알기 위해서 처음에는 억부. 격국. 조후. 물상. 중국맹파 등 각종 이론을 다양하게 경험했었다. 처음부터 운을 보는 개념이 문자라는 글자에 맞추어 성패 위주로 보다 보니 서로 간의 다른 간법임에도 불구하고 결과가 똑같이 나올 수도 있고, 전혀 다르게 나올 수 있어 동일한 사주도 보신 분들마다 각자 다르게 나올 수도 있고, 비슷하게 나올 수 있지만 역학고수 서로들 자기 간법의 적중성에 열을 올리고 배우는 학인들 입장에서는 혼란이 올 수밖에 없는 실정이다.

한 명조를 보고 여러가지 통변은 공부의 역량에 따라 다양하게 펼칠 수 있지만 운의 희기는 수십년 공부하신 분이나 몇 년 공부하신 분이나 실전에서는 별 차이 없어 보인다. 운세의 강약은 무엇이며 사주 원국에 따라 운의 흐름이 길흉과 무관할 수 있고 또한 각자 주변환경이나 직업에 따라 운을 분석하고 판단하는 방법을 다양하게 추론해야 될 것이다.

운의 희기를 찾는 용신 찾아 평생 헤매고 계신 분들이 많다. 어떤 분들은 용신을 버려야 된다고 하며 오로지 식재관 위주로 분석을 하는 분도 있다. 또한 용신 개념부터 출발이 달라 서로 이견을 내세우며 다투고 있는 것이다.인생을 살아가면서 운세의 기복의 고저는 아마 사업을 하신 분들이거나 결과적으로 성과가 나야 하는 업종에 종사하신 분들이 영향을 많이 받는다. 운이 좋다고 만사형통이 아니고 운이 없어도 학업 유전인자가 좋으면 좋은 대학 갈 수도 있고 취직할 수도 있다. 다만 운이 없으면 자기 역량에 비해 기대치가 떨어질 수 있다.

또한 운이 들어와도 내가 준비해 놓은 과정이나 노력이 없으면 무의미한 평범한 운으로 돌아갈 수 있다. 준비과정 없이 운이 들어와서 새로 시작하는 경우와 운이 없을 때 고생해 가면서 준비한 노력이 운이 들어오면 결과는 천차만별이다. 결국 운을 보는 법은 각자 처해 있는 주변상황과 비교해서 구분하지 않고 오로지 문자에 얽매여 이분법적으로 길흉을 단순하게 판단하는 우를 범해서는 안될 것이다.

결론적으로 막연히 미래의 운을 기다리는 자세보다는 사주 명리학이라는 학문을 통하여 나의 성향을 파악하고 나에게 맞는 직업을 선택하신다면 100세 시대를 맞이하여 앞으로 생활의 안정이 될 것이며 또한 오늘 하루 최선을 다하면서 만족하는 삶을 추구하는 마인드가 더 중요하며 가정적으로 가족과 소통할 수 있는 분위기를 조성하거나 사회적으로 대인관계에서 서로 수용하는 자세를 잘 관찰하여 관계 유지에 노력한다면 현재 불안한 우리 사회에 희망적이고 안정된 미래를 조성하는데 이바지할 것이다.

38장 21세기 운명 역술업의 향방

장기적인 팬데믹 시기를 지나 비대면의 상담 분위기로 온라인상의 역술상담은 확장되었고 주로 대면 상담으로 운영하는 기존의 철학관은 퇴화되어 버렸다. 뉴미디어의 발달로 역술업 자체가 엔터테인먼트화가 되어 기존의 부모 세대의 연령층에서 젊은 층의 고객으로 이전되어 역술업이 온라인상의 비대면 상담과 젊은 층의 상권 중심인 대면 상담의 사주타로샵으로 양극화가 되었다.

심지어는 SNS 소셜미디어 마케팅으로 인하여 상담 방식이 고객 상담 위주의 만족도를 위하여 상담 매뉴얼을 만들어 악성 댓글로 인한 피해를 방지하고자 고객만족 상담으로 진화되고 있다. 오히려 상담은 질적으로 떨어지고 오로지 마케팅으로 이미지를 상승시켜 미디어에만 의지하는 젊은 층에게 홍보하고 있다.
요즈음 상담가를 위한 매뉴얼 상담 비법을 한다고 하는데 이 또한 상담가가 공부가 덜된 상태에서는 위험한 공부라는 것을 인지해야 한다. 산전수전 다양한 연령층 경험이 있는 역술가는 함부로 쉽게 상담 매뉴얼을 만들어 강의하지 않는다. 비록 실전 현장 상담에서는 필요 없는 내용이라도 역술인 자신에게는 폭넓은 공부를 하지 않으면 상담에 한계가 온다.

몇 가지 진로, 성격, 애정 등이나 성명학. 관상. 손금 타로 등을 간단히 배워 젊은 층에게는 효과가 있을지 몰라도 결국 한계가 온다. 문제는 다양한 공부를 많이 하신 역술가들이 실전 상담에 자신의 기준에 맞는 상담 매뉴얼을 만들어 응용해야 하는데 이 준비가 되지 않으니 실전에서 중구 난망 상담을 하여 초보 화술 좋은 선생들에게 밀리고 무시당하는 것이다.

타로 한 가지만 배워도 누구나 쉽게 상담을 하지만 시간이 지나다 보면 연륜이나 깊게 타로 공부하는 술사에게는 미치지 못한다. 솔직히 자신 스스로 특화되고 전문화된 상담실을 운영하려면 사주 타로를 두 가지를 병행하는 것보다는 한 가지를 전문화 특화 시켜야 장기적으로 보았을 때 올바른 방법이다.

지금 역학공부를 하고 있거나 역술업으로 창업을 하고 싶은 분들이 있다면 자신의 컨셉을 냉정하게 설정해야 한다. 역학공부 많이 한다고 손님이 알아서 찾아오지도 않고 타로 2개월 배워 월 천만 원 이상 수익을 얻는 상담사도 있다. 자신이 자본이 있는데 역학공부보다는 역술업으로 돈을 많이 벌고 싶으면 역술인을 상대로 관리 경영을 배우면 된다.

사주 타로를 배워 병행을 하고자 한다면 본인이 입지가 좋은 자리에 샵을 운영하여 상담사를 고용해야 한다. 아니면 저렴한 사무실을 얻어 장기적으로 마케팅을 하여 자신의 특화된 상담으로 인지도를 넓혀 나가야 한다. 사주나 타로 공부를 조금 배워 경험을 쌓고자 역학 등에 나와 있는 구인광고에 보면 주로 여선생 위주로 매출 5:5대. 식대 별도로 나왔는데 20년 전이나 상담요금이 변하지 않는다. 전반적으로 30년 전 일반 철학관 상담요금도 2~3만원으로 지금과도 별 차이가 없다. 오히려 5만원이 넘으면 젊은 층은 부담감을 가지게 된다. 과거 철학관 영업은 수익이 좋은 편이고 지금은 기존 철학관은 다른 직업을 선택해야 하는 시점이 벌써 지났다.

우리나라 역술업은 역술과 무속으로 양분화 되어 있다. 박리다매 형태로는 역술업이지만 금액이 큰 것은 무속업이 더 강하다. 역술가는 학문적으로 접근하는 상담이고 무속은 신기운으로 보는 차원으로 생년월일시나 이름도 필요 없이 얼굴만 보고 바로 상담이 되는 것이 무속업이다.

그러나 역술인이 신당을 차려 무속행위를 하거나 무속인이 타로나 생년월일시를 물어보고 사주상담 하는 것이 올바른 정석이 아니다. 물론 간혹 예외가 있는 특별한 경우가 있지만 대부분 이 범주를 벗어나지 못한다. 여명 또한 어린 시절 무속인들의 점사내용에 관심이 있어 역학과 신점의 연관관계에서 고민한 적이 있었다.

한국인의 잠재된 정서에는 신당이나 법당을 모신 곳에서 상담을 하는 경우와 일반 사무실에서 상담하는 곳에서 느낀 차이는 백화점과 시장에서 물건을 사는 느낌과 같다. 오래전에 타로 단골손님은 타로샵에서는 5천원 상담요금의 인식과 신당을 모신 신점 상담에는 5만원 상담요금이라는 인식이 강해 다녀와서 후회한다고 토로한 적이 있다.
물론 무속인들도 제자를 거듭나기 위해서 어느 정도 기간 고행을 해야 하고 스스로 자신이 없으면 손님을 받아서는 안되는데 목구멍이 포도청이라고 현실은 그렇지 못하고 역술업도 마찬가지다.
지금 뉴미디어 발달로 1인 방송이 대세인 유튜버가 한창 유행이다. 자신을 홍보하기 위해서 너도 나도 자칭 젊은 도사 출현으로 정신이 없다.
이 또한 시간이 지나면 실력 있고 유튜브에 능숙한 역술 전문가로 걸러지게 된다. 과거 25년 전 사주카페가 막 시작하고 유행할 때 너도나도 타로나 사주를 배워 도사 흉내 내는 초보자나 대학생들이 많았다. 그 뒤 사주카페가 많이 사라지고 사주타로샵이 유행하게 되었는데 이 사주타로샵도 어느 정도 시간이 지나면 또 다른 형태로 변화가 일어날 것이다.
이제 역술업에 관심이 있거나 창업을 희망하는 분들이 계신다면 쉽게 사주타로샵을 오픈할 생각은 버려야 한다. 어차피 샵은 홀로 상담이 아닌 상담사들을 고용하여 운영해야 하는데 이 또한 상담사 관리가 쉽지가 않다. 오히려 어떤 곳은 업주보다는 고용된 상담사만 이익을 보는 경우도 있고 또한 냉정한 업주로 인하여 상담사들이 고충이 많은 곳도 있다.

39장 부귀빈천 사주팔자가 정해져 있을까?

사주입문 시 태어날 때 각자의 부귀빈천이 정해져 있으니 자기 그릇을 알고 순응하는 자세가 필요하며 운 때를 살펴 피흉추길(흉한 것은 피하고 길한 것은 얻는다)하여 현세의 행복을 추구하는 학문이라고 그렇게 배운다. 그래서 누구나 열심히 사주 공부를 해서 실력을 쌓아 언젠가는 운명을 훤히 감지할 수 있을 것이라는 희망과 목표를 가지고 각자의 역량에 따라 노력을 한다.

과연 사주팔자만 가지고 우리 인생사를 다 논할 수 있을까? 태어났을 때 사주만 보고 재벌사주인지 거지사주인지 정확하게 분석할 수 있을까? 맹파 중국책이나 고인이 되신 부산 박도사의 일화를 보면 사주 명조를 척 보면 부귀빈천 팔자를 구별하고 명문대 출신인지 아닌지 알 수 있다고 책으로 공부를 한다. 그러면서 자신들은 이 정도 수준으로 도달하려면 얼마나 공부를 해야 하나 아니면 무슨 비법이 있나 하면서 자기 상실감에 빠져 고민을 한 적이 있을 것이다.

문자에 얽매여 분석해서는 절대로 이런 경지에 도달할 수 없으며 만약 그런 능력을 갖추었다면 특별한 영적인 기운이 병행하지 않고 서는 인간의 두뇌로는 한계라고 생각한다. 왜 사주 학인들은 사주 명리학을 학문으로 접근한다면서 이런 놀라운 신비스러운 족집게 도사를 꿈꾸는 것일까? 누구 말대로 사주 명리학이 초 과학이고 신의 학문이라서 그럴까? 왜 쉽게 공부하여 누구나 자기 삶에 유용한 지혜의 도구로 삼을 수 있는데 어렵게 공부를 하거나 수행을 하거나 등 힘들게 공부할까? 이 또한 신의 학문이라 신들이 방해를 해서 대중화를 시키지 못하는 것일까? 그래서 이 공부는 아무나 할 수 없는 특별한 사람에게만 적용되는 공부일까?

부귀빈천을 논하고 사건사고를 예측하고 건강과 수명을 논하고 가족이나 부부인연법을 논하는 기존 공부가 지금 이 시대에 살아가는데 정말 유용하고 가치 있는 상담이라 할 수 있을까? 우리가 어떤 학문을 공부할 때 처음에는 개론을 공부하고 원론으로 들어가 공부하는데 인간의 운명을 다룬다는 이 학문을 사주를 바라보는 개념이

나 인식이 정립하지 못하고 막연하게 바로 사주를 보고 맞추어 한다는 결과에 너무 집착하여 일관성 있는 학문이 아닌 점술 형태의 술수에 빠져 헤 메이고 또한 뭔가 어렵게 수학 미적분 풀듯이 깊이 사주원리공부를 하면 사주 이론을 연구하는 학자 양성이지 실제 현실적으로 상담을 해야 하는 사주상담사의 공부에는 적합하지 않다고 본다.

사주팔자대로 사는 사람이 많습니까? 의 질문은 타고난 운명은 예정대로 사는 것이나요? 같은 말이다. 어떤 역술인은 사주팔자대로 산다는 원칙 아래 온갖 사주이론을 동원하여 명조의 살아온 과거 흔적을 보고 미래를 예측하고 과거를 자기 간법을 적용하여 논리성을 강조한다. 이게 다 사건 사고를 예측하는 적중 시키어 피흉추길 하기 위한 목적이라고 한다. 이런 부분은 사주 명리학이 아닌 순간 다변성이 많은 점술학의 영역으로 접근해야 한다고 본다.
그런데 무속이 아니고 사주쟁이가 점을 치면 일반 고객들은 신뢰를 하지 않아 오로지 타고난 사주팔자로 모든 궁금한 사항을 해답 해주기를 바란다. 그래서 역술인들은 사주를 통하여 분석하는기법을 연구를 하는데 이 또한 각자의 역량에 따라 예측하는 것이지 보편타당하고 누구나 적용할 수 있는 일관된 간법이 아니다. 또한 점을 치기 위해서는 점의 원리를 파악하고 접근해야 하는데 점을 치는 자체를 강하게 거부하는 사주 학인도 주변에 많다. 그런 분들은 학문이라는 글자에 얽매여 있기 때문에 점술의 영역을 이해를 못한다.

다시 질문해보면 <사주팔자대로 사는 사람이 많습니까?> 답은 간단명료하다. 사람마다 서로 다르고 동일한 사주도 태어난 국가나 지역이 다르고 부모로 받는 유전인자. 교육수준 등 주변상황에 따라 인생사가 변수가 있는 것이다. 그러면 뭐가 같습니까? 또 질문을 한다. 사주가 달라도 비슷한 운명도 많다. 어떤 분은 수치를 좋아해서 사주팔자 33% 주변환경 33% 노력 33%으로 비중을 두고 사주팔자가 안 좋더라도 크게 실망할 필요가 없다고 말을 한다.

이것도 사람마다 상황에 따라 다르다. 33%의 사주팔자대로 비슷하게 사신 분도 있고 주변환경(예를 들어 부모가 부자)에 따라 고생없이 사신 분도 있고 피나는 자기노력으로 인생역전 하신 분도 있다. 정말 사주이론대로 좋은 사주팔자를 가지고 태어났어도 힘든 인생도 있다. 이런 결과적인 삶의 형태를 가지고 사주 분석을 해서 자기 논리를 펼치고 논쟁을 하고 책을 출판도 한다. 혹자는 또 이렇게 말한다. 주변 환경과 노력도 사주팔자속에 다 들어 있어서 운명은 비켜 갈 수도 없고 태어날 때 전생의 성적표로서 주어진 팔자대로 산다고 한다.

과연 그럴까? 우리가 이 사주 명리학 하는 목적을 다른 각도에서 살펴볼 필요가 있다. 부귀빈천. 사건사고 예측 등 이런 결과론의 길흉 통변 하는 현업 역술인을 위한 학문이 아니라 누구나 쉽게 배울 수 있는 사주 명리학을 쉽게 응용할 수 있는 생활 사주 명리학으로 접근해야 진정한 학문으로 제도권에서 인정을 할 것이다. 그러나 아직까지 사주 명리학을 바라보는 점술형태의 사회적 인식으로는 불가능하다고 본다.

40장 3단계로 분류되는 역학 공부

역학공부 3단계 분류는 여명(필자)의 주관적 판단에 의한 내용이다.

★ 역학 공부 3단계 분류

[1단계: 일반인]

음양오행. 천간지지. 상생상극. 십신(십성)을 활용하여 누구나 일관성 있게 적용할 수 있는 사주 명리학을 표준화. 규격화를 시켜 사주 명리학을 일반인 누구나 활용할 수 있는 생활 명리학이다. 사주 명리학을 대중화를 시키기 위해서는 표준화가 된 매뉴얼을 작성하여 누구나 쉽게 과학적 접근방식으로 타고난 생년월일시로 각자의 성향을 분석하여 진로. 적성. 직업. 인간관계 등을 파악하는 것이다.

1단계 과정은 사주팔자 원국만 적용하고 대운. 유년운은 참고하지 않으며 운세 길흉파악도 하지 않는다. 오로지 사주팔자 8글자를 기본사주이론에 대입하여 누구나 동일하게 적용시킬 수 있는 동양 진로적성검사이다. 따라서 복잡하고 난해한 이론과 운세파악을 배제하고 육십갑자를 분석하여 상생상극과 10개의 십신을 가지고 누구나 동일하게 논리적으로 표준화된 사주 진로적성 명리학이다. 1단계는 역학을 직업으로 하지 않는 일반인도 쉽게 학문적으로 접근할 수 있으니 남녀노소. 외국인 누구든지 스스로 활용할 수 있는 장점을 지니고 있다.

[2단계: 역학인]

1단계 과정은 일반인 과정으로 일반 대중 누구나 쉽게 접근할 수 있는 단계이지만 2단계는 보다 더 심화되는 과정으로 변화성이 많아 사주 명리학을 규격화를 시킬 수 없다. 복잡하고 난해한 이론과 더불어 운세 흐름을 파악하기 위한 과정이다. 따라서 많은 시간과 투자가 필요하며 역학을 직업으로 삼는 역학인 과정이 2단계이다.

2단계는 1단계를 포함하여 육친관계. 운세흐름 강약을 분석하는 과정으로 사주원국. 대운. 유년 등을 참고하여 좀 더 구체적으로 인간의 운명을 분석하는 과정이다. 2단계 과정의 공부는 피라밋 모양(△)과 같다. 운명 추론의 결과(꼭대기)를 접근하는 방식이 처음 시작한 곳에는 다양하게 예측분석을 출발하니 서로 여러 가지 변화성이 많지만 결국 최종점에서는 동일한 경우이다.

따라서 인간의 운명을 역학인의 역량에 따라 다양하게 예측 분석이 가능한 것이 사주 운명학이다. 역(易)이라는 것은 일(日)과 월(月). 음양을 나타내고, 쉽다. 다르다. 바뀌다. 변한다. 라는 의미가 있다. 2단계는 서로 공부접근방식이 달라도 운명분석의 결과는 동일할 수도 틀릴 수도 있으며 서로 공부접근방식이 같아도 결과 분석이 다르게 나올 수 있기 때문에 2단계 과정은 역학인의 근기나 노력에 따라 결과는 천차만별로 달라질 수 있다.

[3단계: 역술인]

3단계는 사주 운명학을 포함하여 점술 운명학을 공부하는 단계이다. 3단계는 학문의 차원을 넘어 강한 영적 기운이 필요하는 술수학이고 인간의 운명을 분석하고 각자의 역량에 따라 개운할 수 있도록 운명을 개선하는데 중점을 둔다. 따라서 이 3단계는 역술인으로써 타고난 근기가 있어야 한다. 각자의 역량에 따라 다양한 점술이나 운명학 중 1가지 분야에 집중적으로 공부하거나 동양 오술학을 전반적으로 공부하기도 한다. 국가운명에 관심이 있거나 개인 운명을 연구하면서 현재 당면문제를 개운할 수 있도록 깊이 있게 연구하는 점술. 방술. 의술 등에 관심을 둔다. 3단계는 술수학으로 점을 치는 점술학으로 학문을 뛰어넘는 영적인 기운과 각자의 근기와 인연에 따라 공부를 하게 되는데 책으로만 공부할 수 있는 단계가 아니고 심신수련과 기도명상을 병행하여야 하는데 스스로 심신을 조절하지 못하면 몸이 망가지거나 사이비가 되어 혹세무민(惑世誣民)하여 세상을 어지럽게 하여 큰 피해를 준다.

이 단계는 좋은 스승(멘토)을 만나는 것이 가장 중요하다. 탁한 기운의 스승을 만나게 되면 심신을 조절하지 못하여 그릇된 사술의 소용돌이 속에서 헤매어 벗어나지 못한다. 3단계는 개운할 수 있는 방책이 들어가 자칫 물질적 욕망에 휩쓸리게 되고 타인의 생명의 위험까지 초래하는 무서운 탁마기운에 큰 업보를 지니게 된다. 따라서 타고난 영적기운이 있는 사람은 탁마가 들어오지 못하도록 선한 마음공부가 우선적으로 필요하다.

[그 외: 역도인]

이 3단계를 뛰어넘은 4단계가 있다면 역도인으로서 인간의 운명에 관한 술수학에 관심이 없으며 순수 자연인으로서 하늘과 통하는 밝은 영적기운을 가진 성통(性通)한 자로써 무수한 지혜가 충만 된 자로 자연과 인간을 사랑하고 평화를 추구한다. 지금 이 시대에 우리에게 진정으로 참된 가르침을 전달하는 종교인도 역도인이라고 볼 수 있다.

41장 육십갑자를 바라보는 시각

60갑자 공부는 단지 일주론 공부만 아니다. 육십갑자가 년주,월주,일주,시주에 어느 궁에 나타나도 해당 육친궁에서 참고하는 것이고 일간이 자기 역할을 못하여 타 간으로 일간대행을 하거나 일간 표출신으로 나타날 때도 입체적으로 육십갑자를 참고하는 것이다.

육십갑자 공부를 60개의 일주론으로만 착각을 하고 무조건 일주만 대입하여 분석하려는 단편적인 시각을 버려야 한다. 사주 공부는 육십갑자 공부라 사주팔자 8글자를 다 참고해야 한다. 사주 명조에 甲子라는 간지가 년.월.일.시주 어디에 나와도 甲子는 한 몸이라는 것을 인식해야 한다. 예를 들어 더 쉽게 언급하면

壬 戊 庚 甲
子 戌 午 子
이런 명조가 있다고 하자, 년주에 甲子가 있다. 甲子는 천간 지지로 분리하면 안되고 한 몸으로 보아야 하며 甲木입장에서는 일지가 子水가 되는 것이다. 그리고 일간 戊土에서 甲木은 편관이 되는데 해당 육친성이 자식이 될 수 있으며 子중癸水는 정재

로 첫 번째 여자가 될 수 있으며 子중壬水 편재는 부친도 될 수 있는데 甲子는 한 몸이라 甲子는 자식, 첫여자. 부친의 해당궁이 될 수 있으며 고정된 년주궁은 조상궁이 되며 선산. 국가(개인). 외국 등을 참고하는 것이다. 따라서 해당 육친궁과 육친성을 자유자재로 돌려야 한다.

여기서 좀 더 입체적으로 본다면 지장간을 활용하는 것인데 년지 子중壬水가 투출한 시주 壬子도 또 다른 년주 해당 육친의 표출신이 되어 사주가 입체적으로 다양하게 몇 단계를 거쳐 복잡하게 작용하는 것이다. 이렇게 사주공부를 하지 않고 고정된 일간 위주로 지지 근의 강약을 보고 희기를 따지거나 고정된 해당 육친궁이나 육친성만 따져 보는 것은 한계가 있다는 것을 알아야 하고 사주 공부는 아는 것만큼 보이는 것이다.

심지어는 이런 공부가 숙달이 되면 음신. 허자. 공협, 도충 등을 활용하여 사주팔자나 지장간 이외도 보이지 않는 오행기운(허자)을 참고하여 다양한 사주 통변을 응용해야 하는 것이다.어떤 사주강사는 사주를 성격. 운세 파악 이 두 가지 밖에 없으니 잡다한 사주이론에 허송세월 보내지 말라고 사주 학인들에게 당부하는 것은 맞는 말일 수도 있고 틀린 말일 수도 있다. 사주 공부를 단순히 취미로 하는 일반인들에게는 현명한 답변일 수도 있지만 직업 역술인들에게는 견강부회의 발언이다.

운세 파악을 일간 억부나 격국으로만 모두 판단할 수 있다는 자만심은 실전경험이 풍부하지 않는 독학으로만 완성한 선생의 오만함이다. 결국 자신만이 진정 올바른 사주명리학을 실천하고 있다고 스스로 하소연을 하고 있는 것이다.

42장 오행은 양은 양끼리 음은 음끼리 생한다

양(陽)은 양(陽)끼리 생(生)하고 음(陰)은 음(陰)끼리 生한다. 이것이 양생양 음생음의 원리인데 예를 들면 양生양은 甲木은 丙火를 생하고, 丙火는 戊土를 생하고, 戊土는 庚金을 생하고, 庚金은 壬水를 생하고, 壬水는 甲木을 생한다. 음生음은 乙木은 丁火를 생하고, 丁火는 己土를 생하고, 己土는 辛金을 생하고, 辛金은 癸水를 생하고, 癸水는 乙木을 생한다. 이렇게 陽끼리 한조가 되고 陰끼리 한조가 된다.

그러나 몇 가지 예외가 있는데 庚金은 제련을 하기 때문에 丁火를 좋아한다. 丙火는 庚金을 비쳐줄 뿐 완성된 金으로 만들어 주지 못한다. 봄. 여름에는 기르는 역할. 모든 만물은 봄. 여름의 태양의 빛을 받아야 성장한다. 巳에 庚이 장생하는 연유이다. 辛金은 壬水를 좋아한다. 癸水는 빗물이라서 얼룩을 지게 한다. 좋은 쪽으로 생하지는 못한다. 甲木을 기준하여 양생양 음생음에 따라 십신 또한 본질을 파악해볼 수 있다. 이런 원리로 월지 격에서 희용신 잡는 법이 있다.

甲木기준

丙 戊 庚 壬 (식신 편재 편관 편인)

丁 己 辛 癸 (상관 정재 정관 정인)

나는(甲) 쉽게(丙:식신), 큰돈을 벌고(戊:편재), 기분을 내고(庚:편관), 편하게 살고 싶어한다.(壬:편인): 이런 원리로 돌아간다. 겁재는(乙) 열심히 일해서(丁:상관), 월급을 받아(己:정재), 철저하게(辛:정관), 관리한다(癸:정인): 이런 원리로 돌아간다.

이것만 봐도 왜 정재가 돈을 검소하게 사용하는 지 알 수 있다. 열심히 일을 해서 힘들게 벌어서 그렇다. 우리의 본질은 쉽게 벌어서 쉽게 쓰고 쉽게 살려고 하는 면이 있는 것을 알 수 있다. 그렇지만 운명은 그렇게 호락호락하지 않는다. 정재는 한재(汗財)라고 한다. 땀 汗자를 써서 힘들게 벌었다. 편재는 횡재(橫財)라고 한다. 기복이 심하고 유동성이 큰돈이다. 쉽게 벌고 쉽게 나간다.

일반적으로 돈을 버는 방법은 두 가지가 있다. 식신과 상관이다. 식신의 정재는 편하게 월급을 받는 것이고 식신의 편재는 편하게 큰돈을 버는 것이다. 상관의 정재는 힘들게 일해서 월급을 받는 것이고 상관의 편재는 남을 의식하지 않고 큰돈을 벌려고 노력하는 것이다. 잘못하면 범법행위를 할 수 있고, 사업하는 사람들도 많다. 사주는 오행(五行)으로 본다. 木.火.土.金.水 이 세상의 이치는 부족한 것을 채우려는 마음으로 가득하다. 그러나 무리하게 채우려다 가는 명예가 손상이 된다. 재물이 많으면 명예를 추구하고, 인수가 많으면 재물을 얻으려고 한다.

43장 내 팔자에 돈. 직장운이 없어요

사주팔자에 재물을 의미하는 오행 글자가 강하면 문제가 없지만 만약 사주에 재물을 의미하는 오행이 없거나 약하다면 평생 가난하게 살아야 하나 의구심이 들것이다. 그러나 재물운이 없는 사람도 얼마든지 돈 잘 벌고 부자가 될 수 있다. 재물운이 없는 사람은 재물을 다루지 않고 살면 된다. 즉, 직접 물건이나 현금을 다루는 일을 하지 않고 돈을 벌면 잘 살 수 있다. 선생님, 학자, 중개업, 컨설팅, 서비스업 등이 여기에 해당된다. 이런 사람들이 사업을 한다고 거금을 투자하거나 하면 실패하기 쉽다.

사주에 재물이 없는데도 제조업을 하거나 물건을 판매하는 가게를 차리거나 하면 십중팔구 망할 수 있다. 재물운이 없는 사람은 현실적인 계산이나 판단력도 부족하니 사업과는 인연이 약한 것이다. 우리가 사주를 보는 목적은 앞날이 불안하고 궁금해서 보는 경우도 많지만, 내 성향이나 특성을 사주를 통해 분석하고 거기에 맞게

인생의 방향을 설정하기 위해서이다.

사주에 직장을 의미하는 관이 없다면 사주에서 관(官)이 힘이 있으면 공무원이나 대기업 등 사회적으로 인정받는 안정된 직장에 다니는 경우가 많다. 하지만 관이 없거나 아주 약한 사람은 대체로 틀에 박힌 조직 생활이 맞지 않다. 그래서 소규모 개인 사업을 하거나 자유로운 조직에서 일하는 것이 좋다. 사업을 하더라도 규모를 크게 하면 불리하다. 직장을 다니더라도 엄밀하게는 조직에 소속되지 않고 독립적으로 일하는 것이 좋다. 프리랜서가 대표적이고 보험설계사나 학원강사 등이 조직에 소속된 듯하지만 독립적으로 일하는 경우에 해당된다.

관이 없는 사람은 무리하게 공무원 시험이나 임용고시를 준비하면 시간만 허비할 수 있고, 취직을 하더라도 오래 근무하지 못하는 경우가 많다. 따라서 자신의 사주에 맞게 프리랜서나 독자적으로 할 수 있는 일을 찾아야 한다. 사주를 본다는 것은 자신의 성향을 우선 파악하는 것이고 자신의 성향을 알고 거기에 맞게 진로를 선택하면 기복이 없는 안정된 생활을 할 수 있는 것이다.

44장 태어난 생시 선택 구별법

생시는 12지지로 구분하여 24시간을 2시간씩 지지 순으로 구분한다.

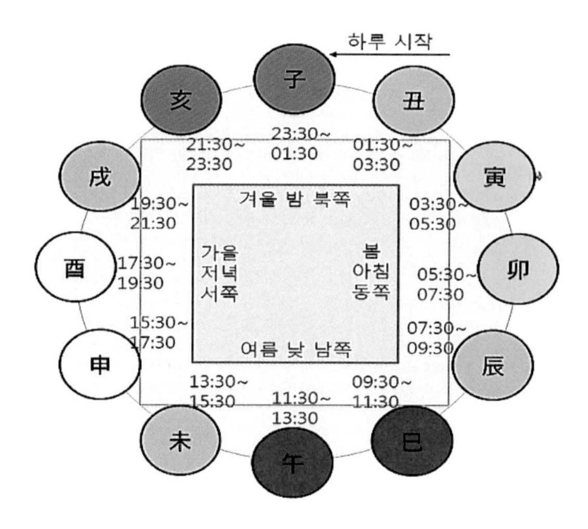

현재 우리나라는 일본 동경시를 기준으로 쓰기 때문에 한국 표준시로 적용하면 동경시와 비교했을 때 실제로 30분 정도 차이가 난다. 물론 일본과 거리에 따라서 한국지역에서도 몇 분 정도 오차가 있다. 지금 병원에서 태어나는 젊은 층들은 태어난 시간이 정확하지만 중장년층 이상들은 태어난 시간이 불투명 하는 경우가 많다. 따라서 사계절에 따라 시간 옆에 표기한 환경적 요인을 잘 판단하여 생시(生時)를 정해야 한다. 사람이 탄생하여 가장 먼저 하는 일은 울기 전에 호흡을 들여 마시는 것부터 시작이 된다.

호흡을 들이 마신 후 울음을 터트리는데 병원에서는 우는 시간을 탄생의 시간으로 보아 생년월일시를 기록한다. 만약 울지 않으면 거꾸로 해서 막혀 있던 양수를 뱉아 내게 하여 울음을 울게 만드는데 만약 울음을 울지 않게 되면 사망에 이르게 되므로 울음이 시작되어야 안심하고 시간을 기록하는 것이다. 그러나 탄생의 시작은 울음을 내기 전에 반드시 호흡을 들이 마시는 것부터 시작되므로 만약 11시30분이라고 기록되어 있다면 巳時와 午時에 걸쳐져 있게 된다.

이것은 울음을 우는 시간부터 그 이전의 시간인 巳時로 보아서 사주를 판단하여야 할 것이다. 그러므로 변화의 시간에 걸쳐져 있는 시간이라면 무조건 그 이전의 시간으로 보는 것이다. 그리고 육체의 끝은 마지막까지 가지고 있던 호흡을 내쉬고 육체를 마치는 것이다. 그러므로 육체의 生은 들숨에 있고 죽음은 날숨에 있는 것이니 육체의 생(生)과 사(死)는 호흡에 있는 것이다.

45장 사주와 오행으로 보는 풍수 개운법

타고난 사주 오행 태과 불급 유무에 따라 적용하는 풍수 개운법이 있다.

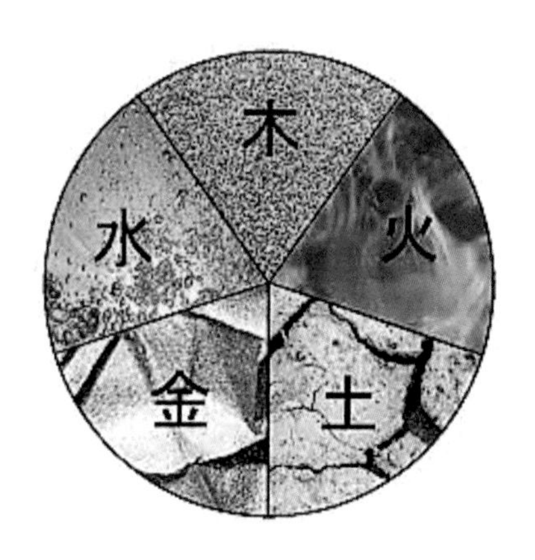

1. 사주의 오행이 木의 기운이 많은 사람일 경우

양택 풍수일 경우 木이 많은 사람이 집안에 화분이 많으면 도리어 상극을 하므로 흉한 작용을 한다.

2. 사주의 오행이 木의 기운이 적은 사람일 경우

집안에 화분이나 분재가 많으면 木기운 중 부족한 기운을 보충하므로 길한 작용을 한다.

3. 사주의 오행이 火의 기운이 많은 사람일 경우

사무실의 책상 위치가 남쪽을 바라보고 있으면 잠재력이 발휘되지 못한다. 火는 남방의 기운을 뜻하므로 이미 火의 기운이 꽉 찬 사람일 경우 도리어 흉한 작용을 한다.

4. 사주의 오행이 火의 기운이 적은 사람일 경우

사무실의 책상 위치가 남쪽을 바라보고 있으면 부족한 화의 기운을 보충해 줌으로 길한 작용을 한다. 火의 기운이 없는 사람이 남쪽을 보게 해서 부족한 기운을 받게 한다.

5. 사주의 오행이 土의 기운이 많은 사람일 경우

주거환경이 동네 가운데에 살게 되면 재물이 소실되고 관운이 약해진다. 土의 기운은 중심지를 뜻한다. 이미 선천적으로 土의 기운이 많은 사람이 또 土의 기운의 자리에 뿌리를 내리므로 도리어 화근이 되기 때문이다.

6. 사주의 오행이 土의 기운이 적은 사람일 경우

주거환경이 동네 중심지에 거주하는 경우 土기운을 사방에서 받아 선천적으로 타고난 재물, 수명, 건강 등이 더욱 좋아진다. 그것은 선천적으로 부족한 土의 기운을 동네의 중심에 살면서 계속

받기 때문이다.

7. 사주의 오행이 金의 기운이 많은 사람일 경우

빌딩 밀집지역이나 또는 철골구조를 많이 한 환경의 업무시설일 경우 금이 많은 사람은 충분한 능력 발휘를 할 수 없다. 그것은 金의 기운이 꽉 차 있는 구조물로 너무 차갑거나 밀집되어 좋지 않다.

8. 사주의 오행이 金의 기운이 적은 사람일 경우

고층, 첨단시설을 갖춘 분위기에서 뛰어난 업무능력을 발휘할 수 있다. 金의 기운이란 자연적 이미지보다 인공적 이미지를 뜻하기 때문이다.

9. 사주의 오행이 水의 기운이 많은 사람일 경우

주거일 경우 거실이나 방에서 강이나 연못, 바다가 보이면 심리적으로 침체되며 방황을 하게 되고 결국에는 좋은 잠재력을 상실하게 된다. 그것은 이미 선천적으로 水의 기운이 충분한데 또 水의 기운이 많기 때문이다.

10. 사주의 오행이 水의 기운이 적은 사람일 경우

주거일 경우 동네의 지명이 水자가 들어간 한자나 부수에 삼수변이 있거나 강이나 연못 등을 바라볼 수 있는 곳이면 최고의 길한 장소이다. 이 밖에 다르게 보는 방법도 있는데 한쪽 오행이 많으면 설기하거나 부족하면 부족한 오행을 생해주어야 한다.
다음은 외모에 대한 개운법에 대해서 살펴보자.

1. 짧은 머리와 긴 머리

머리카락은 木이다. 살은 土이고 그 위에 자라는 머리카락은 나무의 형상이다. 스트레이트 헤어는 甲木의 형상이며 웨이브 헤어는 乙木의 형상이다. 사주에서 木이 희신인(필요한) 사람은 긴 머리가 운세에 좋다. 그러나 사주에서 木이 기신인 사람은 짧은 머리가 운세에 좋다.

2. 의복

의복은 대체로 신체를 보호하기 위한 것이므로 십성에서 인성(印星)에 해당한다. 머플러, 장갑, 내의 등 보온을 목적으로 한 것은 인성의 특징이 강하다. 인성이 기신이고 식상이 희신인 사람은 미니스커트, 민소매 옷 등으로 노출을 많이 하는 차림이 운세에 좋다. 인성이 희신인 사람은 노출이 많은 옷차림은 운세에 불리하며 옷을 잘 갖추어 입는 것이 좋다. 속옷도 잘 갖추어 입고 겨울에는 내복까지 입는 것이 좋다. 실내에서도 양말을 신는 것이 좋다.

3. 신체

신체에서 머리는 인성(印星)이다. 몸통은 비견 겁재, 팔다리는 식신상관이다. 얼굴에서 이마는 인성(印星)으로 본다. 코는 비견 겁재, 입과 턱은 식신 상관이다. 모자를 쓰는 것은 이마, 머리를 가리는 것이므로 인성의 기운을 줄이는 것이다. 따라서 인성이 희신인 사람은 모자를 쓰지 않는 것이 좋다. 인성이 기신인 사람, 식상이 희신인 사람은 모자를 쓰는 것이 좋다. 헤어스타일에서 앞머리를 내리는 것과 내리지 않는 것도 이와 같이 판단한다.

4. 메이크업

火가 용신, 희신인 사람은 컬러풀한 메이크업이 좋다. 水가 용신, 희신인 사람은 색상을 많이 사용하지 않는 것이 좋다.

5. 기타

하이힐, 보정속옷, 조이는 옷 등 신체를 불편하게 만드는 것은 십성에서 편관(偏官)에 해당한다. 편관이 희신인 사람에게는 좋으나 편관이 기신인 사람에게는 불리하다. 헤어 악세사리, 선글라스 등 장식목적이 강한 물건은 火이다. 지갑, 가방 등 물건을 보관하기 위한 것은 土이다. 금속으로 만든 쥬얼리, 악세사리는 金이다. 휴대전화 등 전자제품은 火이다.

관성, 인성이 용신인 사람은 평상시에 정장이나 단정한 옷을 입는 것이 좋다. 식상, 재성이 용신인 사람은 평상시에 캐주얼하고 활동적인 옷을 입는 것이 좋다. 힙합패션 등 푸대자루처럼 크고 늘어지는 것은 土이다. 주머니가 많은 것은 土이다. 장식이 적고 모던, 심플, 단순한 디자인은 金, 水이다. 칙칙하고 너무 수수한 옷은 水이다.

6. 분위기에 따른 십성별 패션 분류

스포티한 옷은 식신이고 노출이 많고 성적 매력을 강조한 옷은 상관이다. 우아한 옷은 정인, 특이하고 실험적인 디자인의 옷은 편인이다, 약간 파격적이며 귀엽고 재미있는 옷은 편재, 멋스럽고 섬세하고 아기자기한 옷은 정재이다, 타인을 의식한 단정한 옷은 정관, 지나치게 단정하여 딱딱해 보이는 옷은 편관이다, 외모에 아예 신경 쓰지 않거나 남이 뭐라고 하든 자기 멋대로 입는 스타일은 비견, 겁재이다.

46장 습관(행동)으로 보는 재물운

습관적 행동으로 나타나는 재물운의 강약을 알아보자. 가게에서 물건을 살 때 이 물건 저 물건을 고르면서 물건의 품질과 필요성보다는 가격부터 물어보는 버릇이 있는 사람은 재운이 약하다. 그리고 손가락 마디 사이에 빈틈이 많은 사람, 발가락 사이에 빈틈이 많은 사람도 재운이 약하다. 혼잣말을 잘 중얼거리는 사람, 말이 많은 사람, 말소리에 기운이 없는 사람 등도 마찬가지다.

가상학으로도 집에 개방 부위가 너무 많은 집에 오래 살면 재물이 흩어지기만 하고 잘 모이지 않는다. 밥을 열심히 먹지 않는 사람도 돈복이 없다. 밥을 먹다가 멍청하게 무슨 생각하는 표정을 짓는 사람, 먼 하늘을 바라보는 사람, 밥 먹으며 신문을 보는 버릇도 경제운이 빈약한 타입의 사람에게 흔하게 본다.

또, 밥 먹을 때의 자세가 한 쪽 발을 의자에 올려 놓고 먹는 사람, 상을 앞에 놓고도 쪼그리고 앉아서 먹는 사람, 식탁이나 밥상에 한쪽 팔을 괴고 먹는 사람, 턱을 괴고 밥 먹는 사람 등은 제 복을 발로 차 버리는 타입이다. 식사 때의 가장 좋은 습관은 모서리에 앉지 말며, 수저를 들기 전에 반드시 마음속으로 감사의 마음을 순간적으로 가질 것이며, 한 손으로 밥그릇을 감싸 쥐고 맛있게 열심히 먹는 것이다. 밥그릇을 들고 먹으면 절대로 안된다.

음식을 가볍게 다루는 인간 치고 인격자가 없다. 중심이 잡힌 인물들을 유심히 보면 연령에 비해 출세가 빠른 사람들의 식사 습관을 유심히 살펴보면 식사를 열심히 하는데 그 태도가 경건할 정도이다. 음식점에 들어가자마자 "빨리" 외치기 시작해서 음식이 나올 때까지 대여섯 번 독촉하면 소인에 불과하다. 음식점에서 실수로 머리카락이나 파리가 빠진 음식이 나와도 태연히 건져 내버리고 맛있게 먹는 사람은 대인의 그릇이다.

평소에 영양가 높은 식사를 하는 집의 식구들도 때때로 빈식(貧食:예로 깡 보리밥이나, 조밥 등의 순 잡곡)을 일부러 하는 것이 운세상 좋다. 자녀들로 하여금 음식의 고마움을 일깨워 주기 위해서다.

반면 평소에 빈식을 하던 집은 때때로 무리를 해서라도 기름진 음식을 규칙적으로 먹어야 개운이 된다. 형편이 어렵다고 사시사철

시래기국과 김치만 먹는 것으로 만족하고 살면 좀처럼 개운이 되지 않는다. 극단적으로 말하면 빚을 내서라도 때때로 식사를 잘하는 것이 가난한 사람들의 개운방법 중 하나이다.

식사 때 밥이나 반찬을 흘리는 버릇이 심한 사람은 재운이 약하다. 길거리에서 침을 함부로 뱉는 사람은 남녀를 불문하고 재운이 나쁘다. 버스 승차장에서 몹시 서두르며 이리 뛰고 저리 뛰는 남자, 버스를 기다리는 동안 묵직하게 한 자리에 서 있지 못하고 왔다 갔다 하는 남자, 버스에 타자마자 빈 자리를 찾느라고 눈동자를 두리번거리며 설치는 남자들을 유심히 보면 졸장부로 살다 빛진 인생이다.

47장 출산 택일을 함부로 해서는 안된다

택일의 종류는 결혼. 이사. 개업. 출산 택일 등이 있다. 해마다 발행하는 책력에 나오는 일반적인 택일법이 있고 본인의 사주팔자를 보고 길흉을 판단하여 보는 택일법이 있다. 또한 일반적인 택일법은 사주프로그램 중에 택일을 잡는 내용이 자세히 나와 있다. 여기서 주의해야 할 택일은 출산 택일이다. 제왕절개로 출산해야 하는 산모들은 출산 택일을 하려고 철학관에 간다. 대부분 출산 택일 비용이 만만치 않다.

태아는 부모의 유전인자와 모의 10개월 동안의 태교에 의해서 사주팔자의 기질이 형성이 되고 집안의 공덕이 있으면 기대가 되는 자식이 출생 된다고 본다. 비용을 들여 출산 택일을 잘한다고 훌륭한 자식이 태어난다고 생각하면 참으로 어리석은 부모이다. 신생아 택일을 함부로 잡아 출생 후 문제가 생기면 평생 원망을 받게 된다. 설상 택일을 잡아주어도 한날한시에 태어나지 못하는 경우도 많다.

부부 사이가 원만하지 않아 갈등 속에서 아이를 출산하면 그 아이는 그대로 부모를 닮고 태어난다고 한다. 부모의 마음가짐이 올바르고 태아에게 안정을 주면서 부모에게 효도하면 굳이 택일을 안 해도 훌륭하고 건강한 자식을 출산할 수 있다고 생각한다. 출산 택일을 잘못하여 역술인을 원망하는 분을 본 적이 있다. 평생 후회하는 우를 범하지 마시고 또한 함부로 출산 택일을 권유하신 일부 역술인도 스스로 자만과 오만에서 벗어나시 길 바란다.

48장 중국 사주학과 한국 사주학

중국 사주학의 기록을 보면 5000년 전 주역에서 시작하여 사주는 음양오행에서 출발한다. 음양오행의 원리는 하도(상생)와 낙서(상극)에서 발견하여 복희씨가 하도로 역술의 효시를 얻었다고 한다.

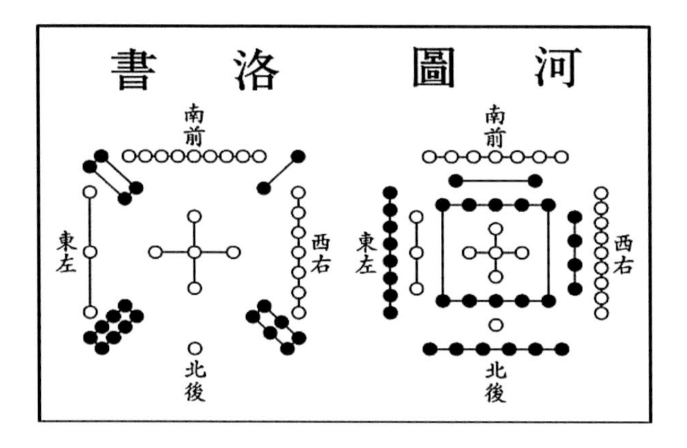

낙서는 순 임금 시대에서 나오고 황제 헌원이 10간 12지지를 받았으며 대효씨(동이족)가 60갑자 완성을 했다. 만세력은 동이족 희화자가 만들었다고 한다. 사기(史記)에 의하면 추연이 음양오행설을 처음 사용하였다. 사주 명리학 탄생은 원천강의 오성삼명지남에서 이론적 체계가 완성되었다.

계절	봄			여름			가을			겨울		
오행	木		土	火		土	金		土	水		土
음양	陽	陰	陽	陽	陰	陰	陽	陰	陽	陽	陰	陰
지지	寅	卯	辰	巳	午	未	申	酉	戌	亥	子	丑

음양오행과 12 지지(十二地支)

이후 당나라 이허중(년간위주)이 이허중명서 3권을 지어 삼명학이 완성되었다. 현재 일간위주의 명리학은 송나라 서공승(서자평)때 부터이며 연해자평이 완성이 되었다. 이후 유백온의 적천수와 작자미상의 난강망이 나오고 궁통보감, 심효첨의 자평진전, 서락오의 적천수징의 등으로 이어졌다. 한국 사주학의 역사는 문화유산 소실과 일제 강점기에 민족정신 말살정책으로 고대 사료를 전부 불태웠다.

경국대전에 의하면 1485년 음양과를 신설하고 천지인(天地人)과를 선발하였다. 천문학 10명, 지리학 4명, 명과학 4명의 관리를 두었다. 조선시대 역학의 조예가 깊었던 사람은 정도전, 율곡, 토정, 송구봉 등이 있다. 근대 이후에 대표적인 한국 역학자는 박재완(명리실관) 이석영(사주첩경). 박제산(박도사)이다. 한반도는 삼일신고, 한단고기, 참전계경의 경전을 보면 하늘의 운행과 이치를 알고 있으므로 정신적으로 엄청난 경지에 이른 수없이 많은 선각자들이 있었음을 알 수 있다. 사주학의 시작은 바로 그 선각자, 도인들로부터 전해지기 시작한다.

한단고기(桓檀古記)와 위서(僞書)에 의하면 자부선인(紫府仙人) 또는 자부선생(紫府先生)은 배달국 치우한웅 시대의 대학자이다. 태호복희씨와 함께 공부한 발귀리 선인(發貴理 仙人)의 후손이다. 후대의 유위자(有爲子)의 학문도 자부선인에게서 나왔다. 고구려 국본기에 따르면 삼황내문경은 회계산(會稽山)에 간직되어 있다고 기록되어 있다.

해와 달의 운행을 측정하고 오행(五行)의 수리(數理)를 고찰하여 칠정운천도(七政運天圖)라는 천체 운행 법칙을 그린 도표를 만들었다. 이것이 이른바 7회제신력(七回祭神曆)의 역(曆)인 칠성력(七星歷)이라는 역법의 시작이 되었다.

49장 사주 명리학은 절기력으로 보는 것이다

태양력(太陽曆)은 보통 농사일을 할 때 절기가 아주 잘 맞다. 보통 농사일에 음력을 사용한다고 알고 있으나 음력은 달과 관계된 것이고 달은 물과 깊은 연관이 있으므로 물(여성의 생리 포함)의 작용에 잘 맞다. 그러므로 음력은 해양, 항해, 수산 등의 물때를 보거나 물에 관계되는 것에 더욱 많이 사용하는 것이다.그리고 절기력(節氣曆)은 아주 정확하여 운명을 감정하는 역학에 사용하는 것이다. 지구가 태양을 한 바퀴 도는 것을 공전이라 하며 1공전이 일년이 걸리는데 1공전(일년)은 대략 365일 1/4일(6시간)정도 걸린다고 한다.

그러나 이 6시간도 정확하게 5시간 59분 정도가 걸린다고 한다. 윤달을 두거나 2월을 29일 또는 28일로 해서 정확하게 처음의 괘도에 오게 만드는 것이 양력이 되는데 절기 력은 공전의 좌표에 의해 정확하게 절기를 정해 놓았다. 원래 절기는 24절기이지만 12절기로 구분하여도 아주 정확하다. 모든 시작은 입춘(立春)을 기점으로 하며 각 절기가 들어오는 시각을 중심으로 하여 1년 12달의 12절기가 이렇게 돌아가는 것이다.

절기	의미	음력(12지지)	황도	시기(태양력)
冬至	태양이 남회귀선 23도 27분에 위치		315도	12월21일~23일경
小寒	추위가 시작됨	12월(丑월)	330도	1월5일~7일경
大寒	지독하게 추움		345도	1월20일~21일경
立春	봄이 시작됨	1월(寅月)	0도	2월3일~5일경
雨水	생물을 소생시키는 봄비가 내림		15도	2월18일~20일경
驚蟄	동면한 동물들이 깨어나 꿈틀거림	2월(卯월)	30도	3월5일~7일경
春分	밤낮의 길이가 같음		45도	3월20일~22일경
淸明	맑고 밝은 봄날씨가 시작됨	3월(辰월)	60도	4월4일~6일경
穀雨	봄비가 내려 곡식을 기름지게 함		75도	4월19일~21일경
立夏	여름이 시작됨	4월(巳월)	90도	5월5일~7일경
小滿	여름기운이 나기 시작함		105도	5월20일~22일경
芒種	모를 심기에 적당함	5월(午월)	120도	6월5일~7일경
夏至	태양이 북회귀선 23도27분에 위치		135도	6월21일~24일경
小暑	더워지기 시작함	6월(未월)	150도	7월6일~8일경
大暑	몹시 더움		165도	7월22일~24일
立秋	가을이 시작됨	7월(申월)	180도	8월7일~9일경
處暑	더위가 식기 시작함		195도	8월23일~24일경
白露	가을기운이 스며들기 시작함	8월(酉월)	210도	9월7일~9일경
秋分	태양이 춘분점 반대쪽에 위치함		225도	9월22일~24일경
寒露	찬이슬이 내림	9월(戌월)	240도	10월8일~9일
霜降	서리가 내림		255도	10월23일~25일경
立冬	겨울이 시작됨	10월(亥월)	270도	11월7일~8일경
小雪	눈이 오기 시작함		285도	11월22일~23일경
大雪	눈이 많이 내림	11월(子월)	300도	12월6일~8일경

※ 24절기는 12절입일과 12중기로 구성되어 있다. 명리이론은 12절입일을 기준으로 각 地支에 해당하는 월(음력)을 정한다. 상기 표에서는 바탕색 처리된 것이 12절입일이다.

'절기'란 년중 12절기가 있는데 이를 제대로 알아야만 만세
력을 찾아 사주기둥을 세울 때 제대로 된 기둥을 세울 수가 있는 것이다. 절기(節氣)는 1,2,3월, 4,5,6월, 7,8,9월, 10,11,12월로 구분되어

1월: 입춘(지지:寅) 4월: 입하(지지:巳) 7월: 입추(지지:申) 10월: 입동(亥)

2월: 경칩(지지:卯) 5월: 망종(지지:午) 8월: 백로(지지:酉) 11월: 대설(子)

3월: 청명(지지:辰) 6월: 소서(지지:未) 9월: 한로(지지:戌) 12월: 소한(丑)

위에 기록된 것을 기준으로 하여 만일 자신이 찾고자 하는 日이 입춘 전이면 그 전 해의 年을 세워야 하고 月을 찾을 땐 그 전월(前月)을 찾아 세워야 한다. 따라서 만세력을 찾을 때 일(日)을 먼저 찾아 기록하고 그 다음 월(月)을 그 다음 년(年)을 기록하고 시(時)를 찾아 기록한다.

<table>
<tr><td colspan="4" rowspan="3">壬癸(亥子)1.6水北
黑冬
腎.膀胱.짠맛.智</td><td>亥</td><td>子</td><td>丑</td><td colspan="4" rowspan="3">甲乙(寅卯)3.8.木
東.靑.春.신맛.仁.
肝.膽</td></tr>
<tr><td>10월</td><td>11월</td><td>12월</td></tr>
<tr><td>차다
춥다</td><td>겨울
(水)</td><td>북쪽</td></tr>
<tr><td>戌</td><td>9월</td><td>서쪽</td><td rowspan="3"></td><td colspan="3" rowspan="3">戊己(辰戌丑未)
5.0土. 中央.黃.中
단맛.信.
脾.胃腸</td><td rowspan="3"></td><td>따듯
하다</td><td>1월</td><td>寅</td></tr>
<tr><td>酉</td><td>8월</td><td>가을
(金)</td><td>봄
(木)</td><td>2월</td><td>卯</td></tr>
<tr><td>申</td><td>7월</td><td>서늘
하다</td><td>동쪽</td><td>3월</td><td>辰</td></tr>
<tr><td colspan="4" rowspan="3">庚辛(申酉)4.9.金
西.白秋.매운맛.義.
肺.大腸.</td><td>남쪽</td><td>여름
(火)</td><td>뜨겁
다</td><td colspan="4" rowspan="3">丙丁(巳午)2.7 火
南 赤 夏 쓴맛.禮
心.小腸</td></tr>
<tr><td>6월</td><td>5월</td><td>4월</td></tr>
<tr><td>未</td><td>午</td><td>巳</td></tr>
</table>

50장 점술 사주학이란 무엇인 가

점술 사주학이란 각 운세 사항을 타고난 사주로 분석이 아니라 그날 문점 시각 사주(생년월일시)를 뽑아 분석하는 사주 점술기법이다. 여명(필자)이 알기에는 중국 팔자신괘나 오주괘가 들어오기 전에는 문점 시각 사주팔자로 점을 치는 방법이다. 우리나라 계의신결(저 최국봉)이라는 책이 있었고, 그날 일진을 활용하여 점을 치는 박일우 선생의 사계단법(창시자)이 있었고, 이 사계단법을 전수받는 동재선생(한글성명학 창시자)이 있었으며, 또한 박일우 선생의 제자였던 범천 선생의 일진법이 사계단법의 군더더기를 배제하고 간단하게 활용할 수 있는 점술이다.

그 뒤 범천 선생의 일진법을 배워 더 쉽게 응용한 백초귀장술이 있다. 귀장술 원조는 범천 일진법이며 일진에 따라 길흉을 타고난 사주에 대입하여 간단하게 점을 치는 점술기법이다. 그 뒤 중국 맹파명리가 전해지고 대만의 팔자신괘. 곽목량의 오주괘가 한국에 도입되어 그날 문점 시각으로 사주와 분주를 대입하여 현재 궁금한 운세파악을 하는 것이다. 팔자괘에 타고난 자신의 생년지를 대입하여 래정을 보는 한밝래정법이 있었는데 거의 오주괘 관법과 흡사하다.

그러나 오주괘 관법은 모든 점사를 단순히 신.강약 억부의 역량에 따라 목적용신 강약으로 길흉 판단하기에는 한정되어 있고 모든 점사를 다양하게 응용하고 통변하기 위해서는 기초 중급 심화 과정 3단계로 구분하여 노력해야 한다. 기초과정은 낭월스님의 오주괘 책을 참고하고, 대만 곽목량의 오주괘 책은 중급 과정이고 마지막 심화과정은 실전을 통하여 자신이 알고 있는 사주이론을 전부 대입하여 연구하는 것이다.

기존 사주이론을 무시하고 자신의 창의력으로 새로운 시각의 역학이론이 완성되어 마치 비법인양 내세우는 것은 어리석은 역학자이다. 역학은 기본이론을 가지고 다양한 학설을 만들어 내며 시대 흐름에 맞추어 보는 관점에 따라 통변술이 달라진다. 누군가가 사주 명리학을 대중화시키기 위해 누구나 동일하게 규격화된 사주 이론을 외치는데 이 또한 역학을 바라보는 다양한 시각이다.

여명쌤의 사주팔자 이야기 -끝-